Bienvenue dans le futur!

Biz'Art?

Fastoche!

Si ça vous chante!

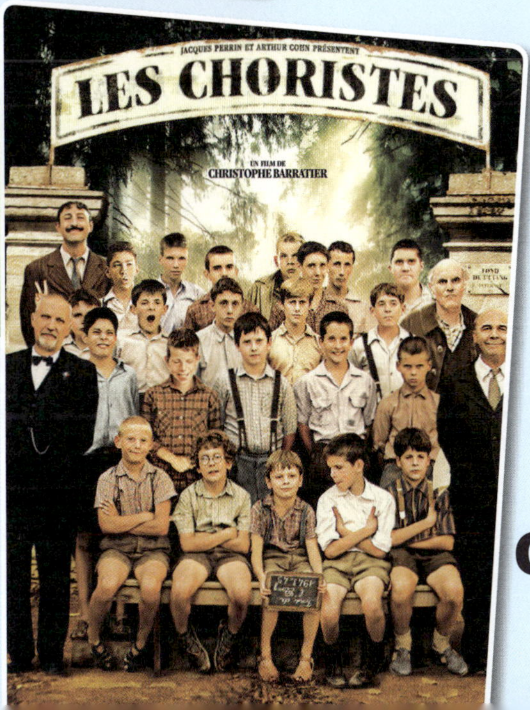

On se fait un ciné?

Wie unterstützt **die *revue*** **dein Lernen?**

Du siehst, an welchen übergreifenden Zielen du weitergearbeitet hast.

Du erinnerst dich an die *tâche*.

Du erinnerst dich, an welchen Zielen aus dem Bereich «Französisch hören, lesen, sprechen, schreiben» du gearbeitet hast.

Du erinnerst dich, an welchen Zielen aus dem Bereich «Bewusstheit für Sprachen und Kulturen» du gearbeitet hast.

Du erinnerst dich, an welchen Zielen aus dem Bereich «Lernstrategien» du gearbeitet hast.

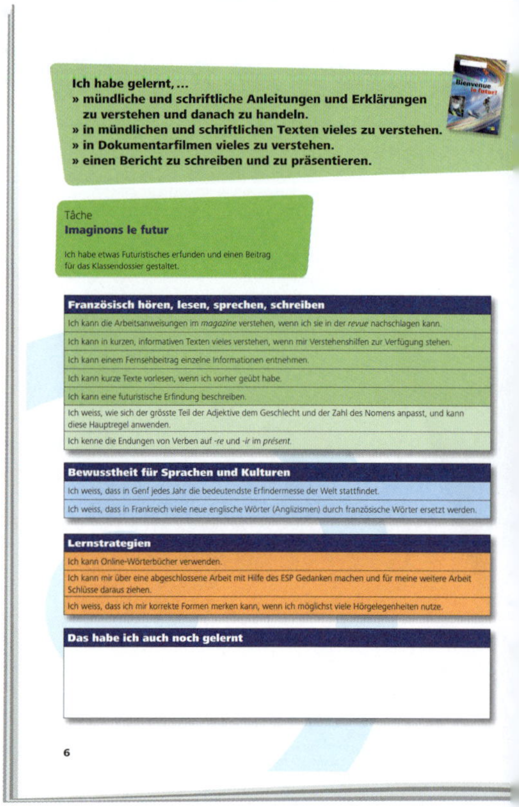

Ich habe gelernt, …
» **mündliche und schriftliche Anleitungen und Erklärungen zu verstehen und danach zu handeln.**
» **in mündlichen und schriftlichen Texten vieles zu verstehen.**
» **in Dokumentarfilmen vieles zu verstehen.**
» **einen Bericht zu schreiben und zu präsentieren.**

Tâche
Imaginons le futur

Ich habe etwas Futuristisches erfunden und einen Beitrag für das Klassendossier gestaltet.

Französisch hören, lesen, sprechen, schreiben
Ich kann die Arbeitsanweisungen im *magazine* verstehen, wenn ich sie in der *revue* nachschlagen kann.
Ich kann in kurzen, informativen Texten vieles verstehen, wenn mir Verstehenshilfen zur Verfügung stehen.
Ich kann einem Fernsehbeitrag einzelne Informationen entnehmen.
Ich kann kurze Texte vorlesen, wenn ich vorher geübt habe.
Ich kann eine futuristische Erfindung beschreiben.
Ich weiss, wie sich der grösste Teil der Adjektive dem Geschlecht und der Zahl des Nomens anpasst, und kann diese Hauptregel anwenden.
Ich kenne die Endungen von Verben auf *-re* und *-ir* im *présent*.

Bewusstheit für Sprachen und Kulturen
Ich weiss, dass in Genf jedes Jahr die bedeutendste Erfindermesse der Welt stattfindet.
Ich weiss, dass in Frankreich viele neue englische Wörter (Anglizismen) durch französische Wörter ersetzt werden.

Lernstrategien
Ich kann Online-Wörterbücher verwenden.
Ich kann mir über eine abgeschlossene Arbeit mit Hilfe des ESP Gedanken machen und für meine weitere Arbeit Schlüsse daraus ziehen.
Ich weiss, dass ich mir korrekte Formen merken kann, wenn ich möglichst viele Hörgelegenheiten nutze.

Das habe ich auch noch gelernt

6

Du schreibst Wörter und Ausdrücke auf, die du dir merken möchtest.

Du siehst, welche grammatikalischen Regeln du entdeckt hast.

Vocabulaire **personnel**

Découvertes sur la langue

Les robots à tout faire

Verbes en -ir et en -re	
Je mets une combinaison adhésive.	mettre
Tu choisis un skate volant ou un Street surfer?	choisir
Il/Elle/On construit un hôtel sous-marin.	construire
Nous mettons une combinaison adhésive.	mettre
Vous choisissez un skate volant ou un Street surfer?	choisir
Ils/Elles construisent un hôtel sous-marin.	construire

8

Vocabulaire de classe

C'est une sorte de…	Das ist eine Art …
un véhicule	ein Fahrzeug
un bâtiment	ein Gebäude
un robot	ein Roboter
une construction	eine Konstruktion
…ressemble à un/une…	… gleicht … /ist ähnlich wie …
…est comme un/une…	… ist wie …
…a la forme d'un/d'une…	… hat die Form …
…mesure… (de long, de large, de haut)	… misst … (ist … lang/ breit/hoch)
C'est pratique pour…	Das ist für … praktisch.
…est capable de…	… ist fähig zu … / … kann …
faire un tour	eine Runde machen/drehen
faire du sport	Sport machen/treiben
…permet de…	… ermöglicht zu … / … erlaubt zu …
voler	fliegen
Il/Elle a…	Er/Sie/Es hat …
Il y a un/une… pour…	Es hat … um zu …
Il/Elle/C'est…	Er/Sie/Es/Das ist …
nouveau/nouvelle	neu
le premier… /la première…	der/die/das erste …
intelligent/intelligente	intelligent
sportif/sportive	sportlich
artificiel/artificielle	künstlich
rapide	schnell
Pas mal!	Nicht schlecht!
Vachement bien!	Saugut!
C'est fou!	Das ist verrückt!
C'est le pied!	Das ist der Hammer!

7

Du siehst die Wörter und Sätze, die du dir für die *tâche* gemerkt hast und die du bei weiteren Gelegenheiten verwenden kannst.

Du notierst die Ausdrücke, die gemeinsam ausgehandelt worden sind, um den Klassenwortschatz zu ergänzen.

Du hältst deine Einsichten in die Grammatik mit eigenen Worten, Skizzen, Schemata und Beispielen fest. Vielleicht vergleichst du dabei die französische Sprache auch mit anderen Sprachen.

Deinen Eintrag besprichst du mit Mitschülerinnen und Mitschülern.

Deine Einträge helfen dir, dich an Regeln zu erinnern. Was man selber darstellt, kann man besser behalten.

Du kannst deine Einträge auch zum Nachschlagen verwenden.

Ich habe gelernt, …

» **mündliche und schriftliche Anleitungen und Erklärungen zu verstehen und danach zu handeln.**
» **in mündlichen und schriftlichen Texten vieles zu verstehen.**
» **in Dokumentarfilmen vieles zu verstehen.**
» **einen Bericht zu schreiben und zu präsentieren.**

Tâche

Imaginons le futur

Ich habe etwas Futuristisches erfunden und einen Beitrag für das Klassendossier gestaltet.

Französisch hören, lesen, sprechen, schreiben
Ich kann die Arbeitsanweisungen im *magazine* verstehen, wenn ich sie in der *revue* nachschlagen kann.
Ich kann in kurzen, informativen Texten vieles verstehen, wenn mir Verstehenshilfen zur Verfügung stehen.
Ich kann einem Fernsehbeitrag einzelne Informationen entnehmen.
Ich kann kurze Texte vorlesen, wenn ich vorher geübt habe.
Ich kann eine futuristische Erfindung beschreiben.
Ich weiss, wie sich der grösste Teil der Adjektive dem Geschlecht und der Zahl des Nomens anpasst, und kann diese Hauptregel anwenden.
Ich kenne die Endungen von Verben auf *-re* und *-ir* im *présent.*

Bewusstheit für Sprachen und Kulturen
Ich weiss, dass in Genf jedes Jahr die bedeutendste Erfindermesse der Welt stattfindet.
Ich weiss, dass in Frankreich viele neue englische Wörter (Anglizismen) durch französische Wörter ersetzt werden.

Lernstrategien
Ich kann Online-Wörterbücher verwenden.
Ich kann mir über eine abgeschlossene Arbeit mit Hilfe des ESP Gedanken machen und für meine weitere Arbeit Schlüsse daraus ziehen.
Ich weiss, dass ich mir korrekte Formen merken kann, wenn ich möglichst viele Hörgelegenheiten nutze.

Das habe ich auch noch gelernt

Vocabulaire de classe

C'est une sorte de...	Das ist eine Art …
un véhicule	ein Fahrzeug
un bâtiment	ein Gebäude
un robot	ein Roboter
une construction	eine Konstruktion
…ressemble à un/une…	… gleicht …/ist ähnlich wie …
…est comme un/une…	… ist wie …
…a la forme d'un/d'une…	… hat die Form …
…mesure... (de long, de large, de haut)	… misst … (ist … lang/ breit/hoch)
C'est pratique pour…	Das ist für … praktisch.
…est capable de…	… ist fähig zu …/… kann …
faire un tour	eine Runde machen/drehen
faire du sport	Sport machen/treiben
…permet de…	… ermöglicht zu …/… erlaubt zu …
voler	fliegen
Il/Elle a...	Er/Sie/Es hat …
Il y a un/une… pour…	Es hat … um zu …
Il/Elle/C'est…	Er/Sie/Es/Das ist …
nouveau/nouvelle	neu
le premier…/la première…	der/die/das erste …
intelligent/intelligente	intelligent
sportif/sportive	sportlich
artificiel/artificielle	künstlich
rapide	schnell
Pas mal!	Nicht schlecht!
Vachement bien!	Saugut!
C'est fou!	Das ist verrückt!
C'est le pied!	Das ist der Hammer!

Vocabulaire **personnel**

Découvertes sur la langue

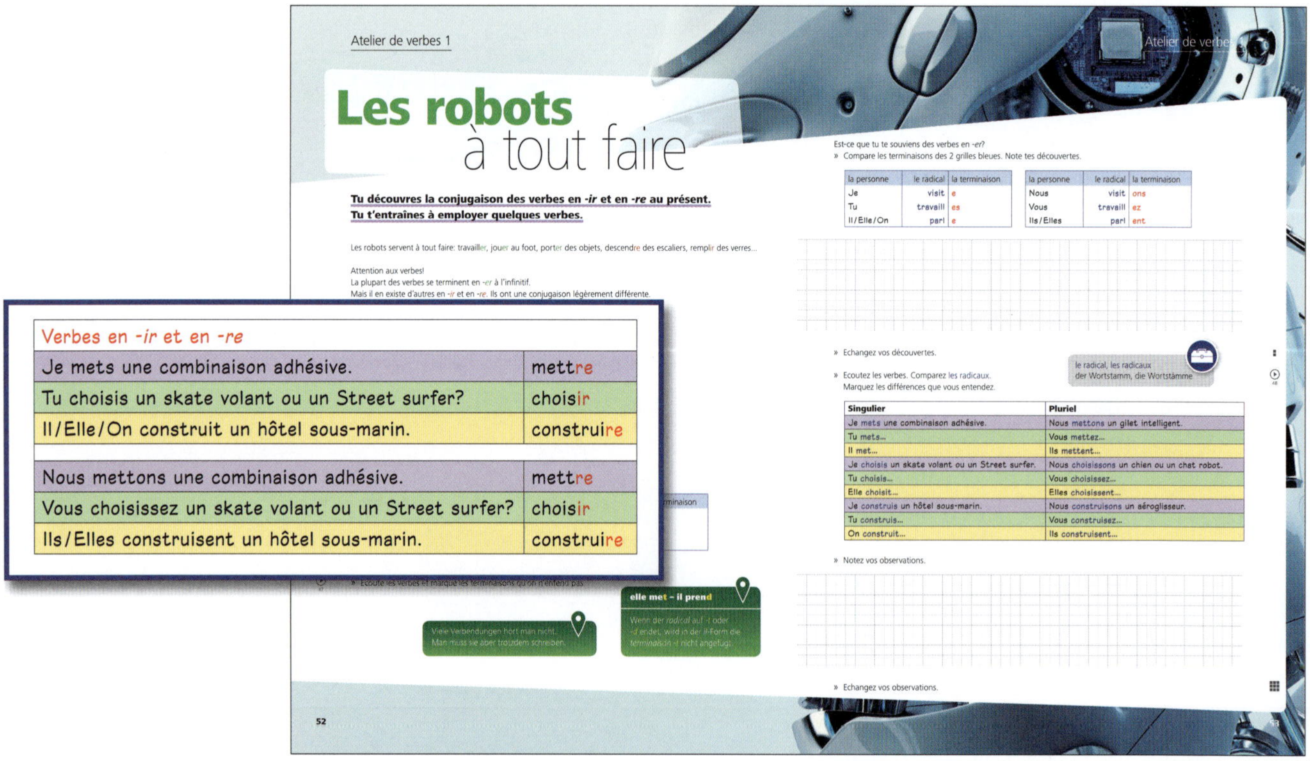
Atelier de verbes 1

Les robots à tout faire

Tu découvres la conjugaison des verbes en *-ir* et en *-re* au présent.
Tu t'entraînes à employer quelques verbes.

Les robots servent à tout faire: travailler, jouer au foot, porter des objets, descendre des escaliers, remplir des verres…

Attention aux verbes!
La plupart des verbes se terminent en *-er* à l'infinitif.
Mais il en existe d'autres en *-ir* et en *-re*. Ils ont une conjugaison légèrement différente.

Verbes en *-ir* et en *-re*	
Je mets une combinaison adhésive.	mettre
Tu choisis un skate volant ou un Street surfer?	choisir
Il/Elle/On construit un hôtel sous-marin.	construire
Nous mettons une combinaison adhésive.	mettre
Vous choisissez un skate volant ou un Street surfer?	choisir
Ils/Elles construisent un hôtel sous-marin.	construire

Est-ce que tu te souviens des verbes en *-er*?
» Compare les terminaisons des 2 grilles bleues. Note tes découvertes.

la personne	le radical	la terminaison
Je	visit	e
Tu	travaill	es
Il/Elle/On	parl	e

la personne	le radical	la terminaison
Nous	visit	ons
Vous	travaill	ez
Ils/Elles	parl	ent

» Echangez vos découvertes.

» Ecoutez les verbes. Comparez les radicaux.
Marquez les différences que vous entendez.

le radical, les radicaux
der Wortstamm, die Wortstämme

Singulier	Pluriel
Je mets une combinaison adhésive.	Nous mettons un gilet intelligent.
Tu mets…	Vous mettez…
Il met…	Ils mettent…
Je choisis un skate volant ou un Street surfer.	Nous choisissons un chien ou un chat robot.
Tu choisis…	Vous choisissez…
Elle choisit…	Elles choisissent…
Je construis un hôtel sous-marin.	Nous construisons un aéroglisseur.
Tu construis…	Vous construisez…
On construit…	Ils construisent…

» Notez vos observations.

» Echangez vos observations.

Viele Verbendungen hört man nicht. Man muss sie aber trotzdem schreiben.

elle met – il prend

Wenn der radical auf -t oder -d endet, wird in der il-Form die terminaison -t nicht angefügt.

52

Ich habe gelernt, …
» mündliche und schriftliche Beschreibungen zu verstehen.
» eine Beschreibung zu schreiben und zu präsentieren.

Tâche
Audioguide

Ich habe einen Audioguide erstellt, um den anderen ein Bild vorzustellen.

Französisch hören, lesen, sprechen, schreiben
Ich kann Bildbeschreibungen verstehen, wenn mir Entschlüsselungshilfen zur Verfügung stehen.
Ich kann über ein Bild sprechen.
Ich kann in der Gruppe französisch sprechen.
Ich kann zu einem Bild einen Text schreiben und ihn vorlesen.
Ich kenne verschiedene Frageformen und kann Fragen stellen.

Bewusstheit für Sprachen und Kulturen
Ich kenne eine Künstlerin und ein Künstlerkollektiv aus der Suisse romande und weiss etwas über ihr künstlerisches Schaffen.

Lernstrategien
Ich kann in meinen Vortrag Fragen einbauen, um die Aufmerksamkeit der Zuhörerinnen und Zuhörer zu gewinnen.
Ich kann meine Einstellungen zum Lernen mit Hilfe der *revue* reflektieren.

Das habe ich auch noch gelernt

Vocabulaire de classe

Ça se passe à / en…?	Spielt sich das in … ab?
Est-ce qu'on est à / en…?	Ist man in …?
Qu'est-ce que c'est?	Was ist das?
S'agit-il d'un / d'une…?	Handelt es sich um …?
Est ce…	Ist es …
peut-être un / une…?	vielleicht …?
vraiment un / une…?	wirklich …?
Voyez-vous le / la / les…?	Seht ihr …?
On voit un / une / des…	Man sieht …
Ça fait penser à un / une / des…	Das erinnert an …
C'est possible?	Ist das möglich?
C'est difficile à dire.	Das ist schwer zu sagen.
Au premier plan, il y a un / une / des…	Im Vordergrund hat es …
A l'arrière-plan, on voit un / une / des…	Im Hintergrund sieht man …
Au milieu,…	In der Mitte …
En haut,…	Oben …
En bas,…	Unten …
A gauche,…	Links …
A droite,…	Rechts …
C'est…	Das ist …
étrange	seltsam, eigenartig
bizarre	seltsam, eigenartig
incroyable	unglaublich
…est…	… ist …
bleu / bleue	blau
bleu clair	hellblau
bleu foncé	dunkelblau
rouge	rot
jaune	gelb
vert / verte	grün
brun / brune	braun
blanc / blanche	weiss
noir / noire	schwarz
Le tableau montre…	Das Bild zeigt …
La photo montre…	Das Foto zeigt …
Le titre de ce tableau est «…».	Der Titel dieses Bildes ist «…».

Vocabulaire **personnel**

Découvertes sur la langue

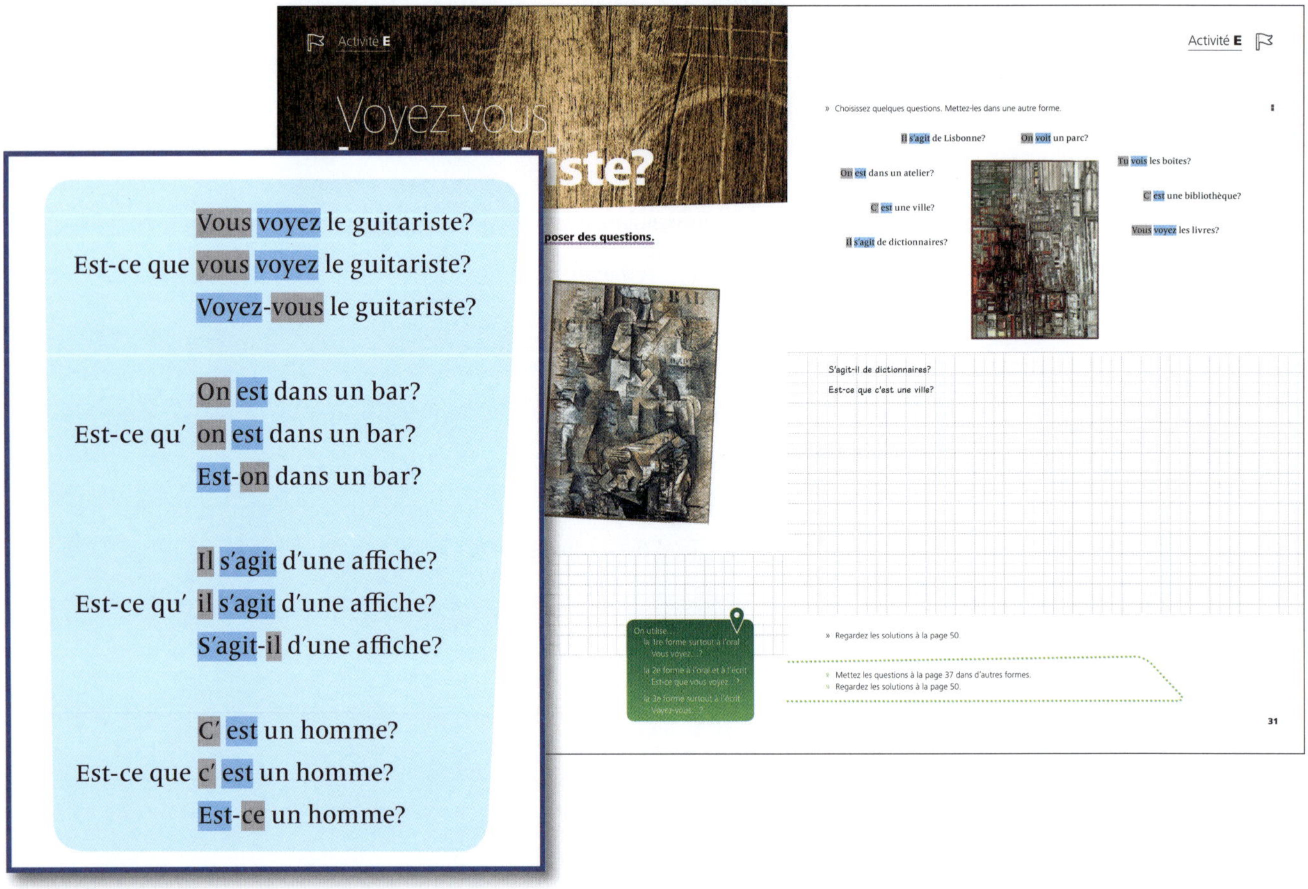

Ich habe gelernt, …
» Comics *(bandes dessinées)* zu verstehen.
» in einem Dokumentarfilm vieles zu verstehen.
» in einem Rollenspiel eine Rolle zu übernehmen.
» während Partner- und Gruppenarbeiten und bei Lernspielen französisch zu sprechen und die Mitschülerinnen und Mitschüler zu verstehen.

Tâche
Ben quoi?

Ich habe Szenen zu Unterrichtssituationen erfunden und sie anderen vorgespielt.

Französisch hören, lesen, sprechen, schreiben
Ich kann BD (*bandes dessinées*) verstehen, die in der Schule spielen.
Ich kann eine BD ausdrucksvoll vorlesen.
Ich kann Redemittel aus den BD und aus der *revue* («Nous parlons français!») im schulischen Alltag verwenden.
Ich kann einem kurzen Filmbericht einzelne Informationen entnehmen.
Ich kann mit anderen zusammen eine Szene erfinden und vorspielen.
Ich weiss, dass sich die Possessivbegleiter *mon, ton, son …* in Zahl und Geschlecht dem Nomen anpassen.

Bewusstheit für Sprachen und Kulturen
Ich kenne den Erfinder und Zeichner der BD-Figur Titeuf.

Lernstrategien
Ich kann meine Stimme variieren, um den Inhalt von Aussagen zu verdeutlichen.
Ich kann Füllwörter verwenden, um Sprechpausen zu überbrücken und um beim Sprechen natürlich zu wirken.
Ich kann die *revue* als Nachschlagewerk nutzen.
Ich weiss, dass ich Grammatikthemen in einer Referenzgrammatik nachschlagen kann.

Das habe ich auch noch gelernt

Vocabulaire de classe

Je me présente: Je suis…	Ich stelle mich vor: Ich bin …
Enchanté / Enchantée! Moi, c'est…	Freut mich! Ich bin …
Qui a gagné?	Wer hat gewonnen?
Ce n'est qu'un jeu.	Es ist nur ein Spiel.
Ça ne compte pas.	Das gilt nicht.
On ne triche pas.	Es wird nicht geschummelt.
C'est écrit «…».	Es steht «…».
Je t'explique.	Ich erkläre es dir.
Laisse tomber!	Vergiss es!
Courage!	Kopf hoch!
Ne t'en fais pas.	Mach dir nichts draus.
Calme-toi!	Beruhige dich!
Ce n'est pas grave.	Das ist nicht schlimm.
Fastoche!	Einfach!
J'en ai marre!	Ich habe es satt!
C'est trop fort.	Das ist wirklich toll.
J'adore…	Ich mag … sehr gern.
Cela ne veut rien dire.	Das hat nichts zu bedeuten.
On a cours de quoi?	Welches Fach haben wir?
maths, informatique, histoire, géo	Mathe, Informatik, Geschichte, Geo
Qu'est-ce que vous faites?	Was macht ihr?
Tu es prêt? / Tu es prête?	Bist du bereit?
Qu'est-ce qui se passe?	Was ist los?
Je te dérange?	Störe ich dich?
Non, pas du tout.	Nein, überhaupt nicht.
Allô?	Hallo?
Un instant!	Augenblick!
Je t'entends mal.	Ich höre dich schlecht.
Je te rappelle.	Ich rufe dich zurück.
Je te laisse mon numéro de portable.	Ich gebe dir meine Handynummer.
À la semaine prochaine!	Bis nächste Woche!

Vocabulaire **personnel**

Découvertes sur la langue

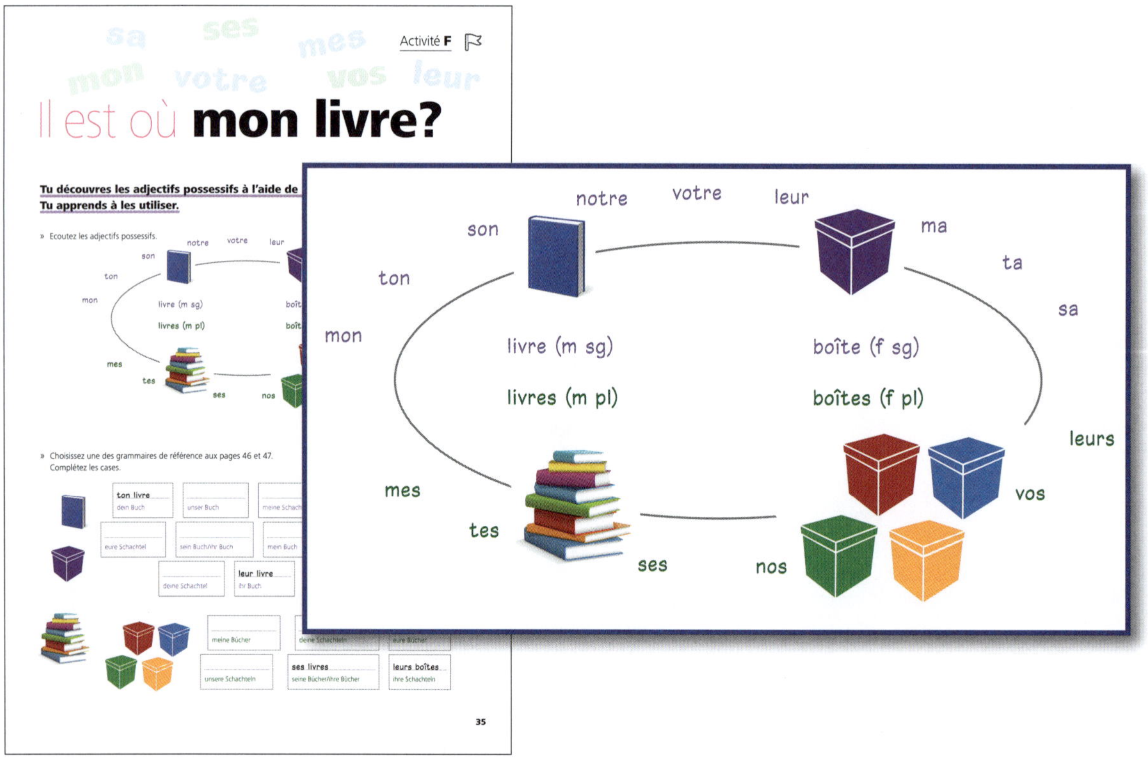

Ich habe gelernt …
» mündliche und schriftliche Erzählungen zu verstehen.
» eine Erzählung zu schreiben und zu präsentieren.

Tâche
Cette histoire vous chante?

Ich habe eine Geschichte geschrieben und sie anderen vorgelesen.

Französisch hören, lesen, sprechen, schreiben
Ich kann aus Hörtexten (Chansons) einzelne Ausschnitte heraushören.
Ich kann den Inhalt von einigen Chansons verstehen, wenn mir Verstehenshilfen zur Verfügung stehen.
Ich kann eine eigene Geschichte schreiben.
Ich kann eine selbst geschriebene Geschichte vorlesen.
Ich kann das *passé composé* mit den Hilfsverben *avoir* und *être* bilden und beim Schreiben eines Textes verwenden.

Bewusstheit für Sprachen und Kulturen
Ich kenne einige französische Chansons und deren Interpretinnen und Interpreten.
Ich kenne verschiedene Sehenswürdigkeiten und Besonderheiten von Paris.

Lernstrategien
Ich weiss, dass ich Verbformen in einer Verbentabelle oder in einem Online-Wörterbuch nachschauen kann.
Ich weiss, dass ich durch Blickkontakt die Aufmerksamkeit des Publikums gewinnen kann.
Ich kann mein Lernen und meine Lernstrategien mit HIlfe der *revue* oder des ESP reflektieren.

Das habe ich auch noch gelernt

Vocabulaire de classe

demander: «…»	fragen: «…»
fermer	schliessen
rêver	träumen
rencontrer	begegnen, treffen
oublier	vergessen
répondre: «…»	antworten: «…»
répondu	geantwortet
dormir	schlafen
dormi	geschlafen
ouvrir	öffnen
ouvert	geöffnet
d'abord	zuerst
ensuite	dann, danach
puis	dann, danach
plus tard	später
finalement	schliesslich
tout à coup	plötzlich
en même temps	gleichzeitig
malheureusement	leider
un matin	eines Morgens
le lendemain	am nächsten Tag
aller	gehen
monter	hinaufsteigen, einsteigen
arriver	ankommen
venir	kommen
venu/-e	gekommen
entrer	eintreten
retourner	zurückkehren
rester	bleiben
partir	weggehen, verreisen
parti/-e	weggegangen, verreist
sortir	hinausgehen
sorti/-e	hinausgegangen
descendre	hinabsteigen, aussteigen
descendu/-e	hinabgestiegen, ausgestiegen
tomber	hinfallen, fallen, stürzen

Vocabulaire **personnel**

Découvertes sur la langue

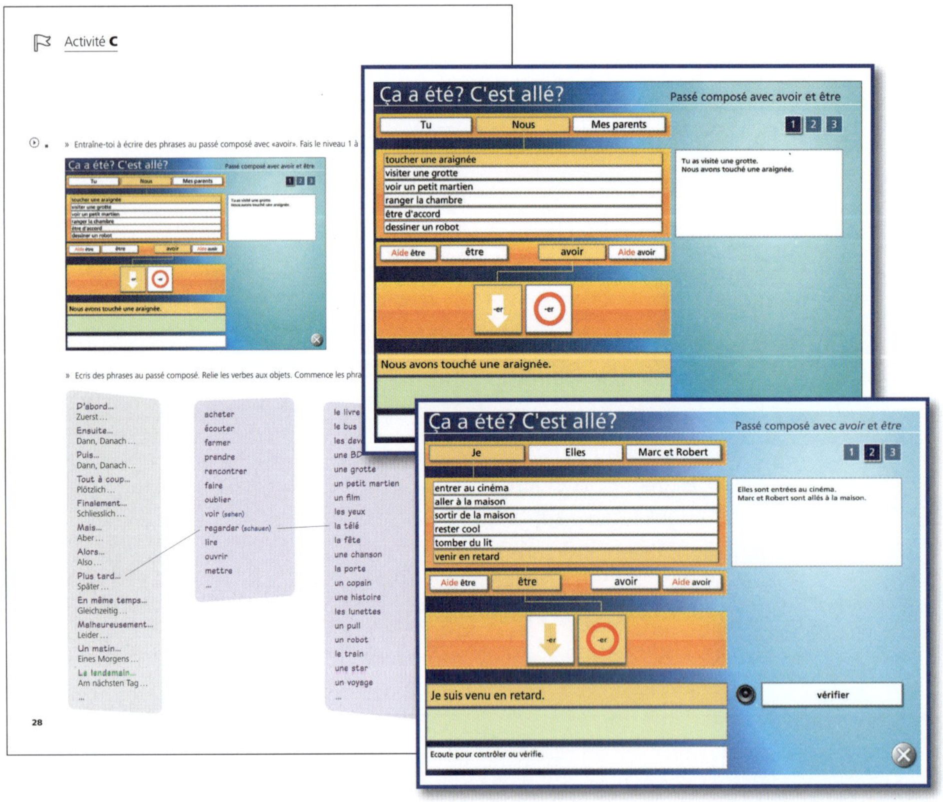

Parler et écrire

Mots et phrases modèles
Musterwörter und -sätze

Suche in den Texten Wörter und Sätze, die du beim Sprechen und Schreiben verwenden kannst.

Expérimenter
Experimentieren

Finde durch Experimentieren gute Formulierungen.

Fichier et revue
Fichier und *revue*

Wende Wörter und Sätze aus deinem *fichier* und deiner *revue* an.

BD comme modèle pour le langage parlé
BD als Modell für Alltagsgesprähe

Übernimm Ausrufe, kurze Sätze und Redewendungen aus den BD und verwende sie in Alltagsgesprächen.

Caractéristiques d'un type de texte
Die Merkmale einer Textsorte kennen

Untersuche, wie ein Text aufgebaut ist. Das hilft dir, den Text zu verstehen und ihn nachzuerzählen.

Phrases modèles
Sätze als Vorlage

Übernimm einen ganzen Satz oder Teile davon.

Demander de répéter
Um Wiederholung bitten

Bitte deine Gesprächspartnerin oder deinen -partner um Wiederholung, wenn du etwas nicht verstanden hast.

Parler français ensemble
Untereinander französisch sprechen

Nutze beim Arbeiten und Spielen möglichst viele Gelegenheiten, um französisch zu sprechen.

Images
Bilder

Schau die Bilder gut an. Sie helfen dir, einen Text zu verstehen.

Voix
Stimme

Achte auf die Stimme der Erzählerin oder des Erzählers. Der Ausdruck der Stimme verrät viel über den Inhalt der Geschichte.

Bruitages
Geräusche

Achte auf die Geräusche.

Dictionnaires (en ligne)
(Online-)Wörterbücher

Schau ein Wort in verschiedenen (Online-) Wörterbüchern nach, damit du die treffendste Übersetzung findest.

Dictionnaire
Wörterbuch

Schau Wörter im Wörterbuch nach.

Mots-clés
Stichwörter

Notiere einzelne Stichwörter aus dem Text, um dich an den Inhalt erinnern zu können.

Questions
W-Fragen

Stelle Fragen an einen Text, z.B.: Wer? Was? Mit wem? Womit? Wo? Wann?

Das kann dir beim Verstehen oder Schreiben eines Textes helfen.

Caractéristiques d'un type de texte
Die Merkmale einer Textsorte kennen

Untersuche, wie ein Text aufgebaut ist. Das hilft dir, den Text zu verstehen und ihn nachzuerzählen.

Parler et écrire

Dictionnaire
Wörterbuch

Schau Wörter im Wörterbuch nach.

Dictionnaires (en ligne)
(Online-)Wörterbücher

Schau ein Wort in verschiedenen (Online-) Wörterbüchern nach, damit du die treffendste Übersetzung findest.

Grammaire de référence
Referenzgrammatik

Schlage Grammatikthemen in einer Referenzgrammatik nach.

La revue comme ouvrage de référence
Die *revue* als Nachschlagewerk

Nutze die *revue* als Nachschlagewerk.

Chercher des formes verbales
Verbformen suchen

Schlage Verbformen nach.

Retravailler un texte
Einen Text überarbeiten

Überarbeite einen eigenen Text, indem du beim Durchlesen auf je ein ausgewähltes Kriterium achtest.

Corriger
Korrigieren

Überprüfe Texte von anderen auf sprachliche Korrektheit. So gewinnst du mehr Sicherheit im Verwenden von Formen.

Conférence de rédaction
Schreibkonferenz

Überarbeite mit andern zusammen deinen Text. Sie geben dir Rückmeldungen zu deinem Entwurf und sagen, was du noch besser machen könntest.

Relecture
Gegenlesen

Gibt den Text jemandem zu lesen. Er/Sie soll dir den Inhalt auf Deutsch erzählen. So kannst du merken, ob dein Text verständlich ist.

Ecrire correctement
Wörter richtig schreiben

Schreibe Wörter mehrmals auf und lasse sie von jemandem in der Klasse oder vom Computer korrigieren.

Collaboration
Zusammenarbeit

Unterstützt euch gegenseitig beim Schreiben: Tauscht eure Ideen aus, gebt einander Tipps, sucht gemeinsam nach Formulierungen, überprüft eure Texte gegenseitig …

Pense-bêtes
Spick-Notizen

Notiere Sätze, die du verwenden kannst. Wirf beim Sprechen wenn nötig einen Blick auf die vorbereiteten Sätze und wende sie an.

Surmonter des limites en rédaction
Schreibgrenzen überwinden

Wenn du etwas schreiben möchtest und dir die Worte fehlen, so zeichne eine Skizze.

Combler un blanc
Füllwörter verwenden

Verwende Füllwörter, um Sprechpausen zu überbrücken und um beim Sprechen natürlich zu wirken.

D'autres moyens d'expression que la parole
Andere Ausdrucksmittel als Sprache

Setze auch Zeichnungen, Bewegungen und Geräusche ein, um dich auszudrücken.

Présence
Auftreten

Überlege dir, wie du in einer bestimmten Situation auftreten möchtest.

Capter l'attention par des questions
Aufmerksamkeit durch Fragen gewinnen

Baue Fragen in deinen Vortrag ein, damit dir das Publikum seine Aufmerksamkeit schenkt.

Pauses de discours
Sprechpausen machen

Mache beim Vorlesen oder Rezitieren bewusst kurze Pausen.

Capter l'attention par le regard
Aufmerksamkeit durch Blickkontakt gewinnen

Nimm Blickkontakt mit dem Publikum auf, damit es dir seine Aufmerksamkeit schenkt.

Expression de la voix
Ausdruck der Stimme

Variiere deine Stimme, um den Inhalt von Aussagen zu verdeutlichen.

Mémoriser et apprendre par cœur

Images
Bilder

Schau die Bilder gut an oder stelle dir selber Bilder zu einem Wort vor. Bilder helfen dir, Wörter zu verstehen und zu behalten.

Mots parallèles anglais – français
Parallelwörter Englisch – Französisch

Achte auf Wörter, die auf Englisch und Französisch gleich oder ähnlich sind. Das hilft dir beim Verstehen von Texten und beim Wörterlernen.

Fichier électronique
Elektronischer *fichier*

Übe Wortschatz mit dem *fichier électronique* ein.

Mémoriser des mots en jouant
Sich beim Spielen Wörter merken

Lerne Wörter, indem du sie beim Spielen anwendest.

Répéter le vocabulaire
Wortschatz repetieren

Repetiere systematisch die Wörter in deinem *fichier*.

Classer des mots
Wörter ordnen

Schreibe Wörter nach Themen geordnet auf. So kannst du dich besser an sie erinnern.

Méthode mots-clés
Schlüsselwortmethode

Merke dir Wörter, die dir immer wieder entfallen, indem du dir ein bewegtes Bild vorstellst. Es verbindet das Bild des französischen Wortes mit dem Bild eines deutschen Wortes, das ähnlich gesprochen oder geschrieben wird.

Ecrire correctement
Wörter richtig schreiben

Schreibe Wörter mehrmals auf und lasse sie von jemandem in der Klasse oder vom Computer korrigieren.

Mémoriser des formes à l'oreille
Sich Formen über das Gehör merken

Nutze möglichst viele Hörgelegenheiten, um dir die unterschiedlichen Formen eines Verbs zu merken.

Aide-mémoire
Merkhilfe

Erinnere dich an bekannte Sätze, um dir korrekte Formen zu merken.

Retravailler un texte
Einen Text überarbeiten

Überarbeite einen eigenen Text, indem du beim Durchlesen auf je ein ausgewähltes Kriterium achtest.

Einen Text überarbeiten

Wähle einzelne Fragen aus und überprüfe deinen Text.

Textaufbau				
1. Titel Ist der Titel treffend?				
2. Erster Satz Ist der erste Satz ansprechend und interessant?				
3. Drei Textteile Hat der Text eine Einleitung, einen Hauptteil und einen Schluss?				
4. Verständlichkeit Ist der Ablauf der Geschichte verständlich?				
Stilmittel				
5. Anschaulichkeit Sind die Personen und Schauplätze so beschrieben, dass man sie sich gut vorstellen kann?				
6. Satzanfänge Habe ich abwechslungsreiche Satzanfänge gewählt?				
7. Direkte Rede Habe ich wenn möglich direkte Rede verwendet, damit der Text lebendiger wirkt? Ist klar, wer jeweils spricht?				
8. Fragen Habe ich wenn möglich Fragen verwendet, um Spannung zu erzeugen?				
9. Wortwahl Habe ich unnötige Wortwiederholungen vermieden?				
Korrektheit				
10. Verbformen Habe ich schwierige Verbformen nachgeschaut?				
11. Rechtschreibung Habe ich schwierige Wörter im Wörterbuch nachgeschaut?				

Consulte le dictionnaire. **Consultez...** consulter	Schlage im Wörterbuch nach. Schlagt … nach.
Continue avec d'autres photos. **Continuez**… continuer	Mache weiter mit anderen Fotos. Macht weiter …
Contrôle ta prononciation. **Contrôlez**… contrôler	Kontrolliere deine Aussprache. Kontrolliert …
Copie le mot. **Copiez**… copier	Schreibe das Wort ab. Schreibt … ab.
Corrige ton texte. **Corrigez**… corriger	Korrigiere deinen Text. Korrigiert …
Crée un poème. **Créez...** créer	Kreiere ein Gedicht. Kreiert …

D

Décide comment tu aimerais réciter le poème. **Décidez...** décider	Entscheide, wie du das Gedicht rezitieren möchtest. Entscheidet …
Décore la feuille. **Décorez...** décorer	Verziere das Blatt. Verziert …
Découpe la photo. **Découpez**… découper	Schneide das Foto aus. Schneidet … aus.
Décris ta machine. **Décrivez**… décriver	Beschreibe deine Maschine. Beschreibt …
Dessine ton symbole. **Dessinez**… dessiner	Zeichne dein Symbol. Zeichnet …
Devine. **Devinez.** deviner	Rate. Ratet.
Dicte les mots. **Dictez**… dicter	Diktiere die Wörter. Diktiert …
Distribue les cartes. **Distribuez**… distribuer	Teile die Karten aus. Teilt … aus.
Dis deux phrases. **Dites**… dire	Sage zwei Sätze. Sagt …
Donne un titre à ton reportage. **Donnez**… donner	Gib deiner Reportage einen Titel. Gebt …

E

Echange tes résultats avec un partenaire. **Echangez**… échanger	Tausche deine Resultate mit einem Partner aus. Tauscht … aus.
Ecoute le texte. **Ecoutez**… écouter	Höre den Text. Hört …

Ecris le mot. **Ecrivez**… écrire	Schreibe das Wort auf. Schreibt … auf.
Enregistre le text. **Enregistrez**… enregistrer	Nimm den Text auf. Nehmt … auf.
Enrichis cette scène de tes idées. **Enrichissez**… enrichir	Erweitere diese Szene mit deinen Ideen. Erweitert …
Entraîne-toi à l'ordinateur. **Entraînez**-vous… s'entraîner	Übe am Computer. Übt …
Essaie encore une fois. **Essayez**… essayer	Versuche es noch einmal. Versucht …

Esquisse ton invention. **Esquissez**… esquisser	Skizziere deine Erfindung. Skizziert …

Exerce la lecture à haute voix. **Exercez**… exercer	Übe vorzulesen. Übt …
Explique l'expérience. **Expliquez**… expliquer	Erkläre das Experiment. Erklärt …
Expose le texte. **Exposez**… exposer	Stelle den Text aus. Stellt … aus.

F

Fais un dessin. **Faites**… faire	Mache eine Zeichnung. Macht …
Feuillete les pages 12 à 19. **Feuilletez**… feuilleter	Blättere die Seiten 12 bis 19 durch. Blättert … durch.
Fixe une feuille à chaque texte. **Fixez**… fixer	Befestige an jeden Text ein Blatt. Befestigt …
Forme deux groupes. **Formez**… former	Bilde zwei Gruppen. Bildet …

I

Imagine ce qui manque. **Imaginez**… imaginer	Stelle dir vor, was fehlt. Stellt euch vor …
Imite le cri d'un animal. **Imitez**… imiter	Ahme einen Tierlaut nach. Ahmt … nach.
Imprime la feuille. **Imprimez**… imprimer	Drucke das Blatt aus. Druckt … aus.
Indique les pays. **Indiquez**… indiquer	Gib die Länder an. Gebt … an.
Instruis un élève à faire l'expérience. **Instruisez**… instruire	Weise einen Schüler an, das Experiment durchzuführen. Weist … an.
Invente une histoire. **Inventez**… inventer	Erfinde eine Geschichte. Erfindet …

J

Jette le dé. **Jetez** le dé. jeter	Würfle. Würfelt.
Jette un coup d'œil sur le texte. **Jetez** un coup d'œil sur… jeter	Wirf einen Blick auf den Text. Werft … auf …
Joue aux cartes. **Jouez**… jouer	Spiele Karten. Spielt …

L	
Lance la carte en l'air. **Lancez**… lancer	Wirf die Karte in die Luft. Werft…
Lis le texte. **Lisez.** lire	Lies den Text. Lest…
Localise les curiosités. **Localisez**… localiser	Finde die Sehenswürdigkeiten. Findet…

M	
Marque les mots. **Marquez**… marquer	Markiere die Wörter. Markiert…
Mélange les cartes. **Mélangez**… mélanger	Mische die Karten. Mischt…
Mets le pion sur la case. **Mettez**… mettre	Stelle die Spielfigur auf das Feld. Stellt…
Montre ton affiche. **Montrez**… montrer	Zeige dein Plakat. Zeigt…

N	
Note la traduction. **Notez**… noter	Notiere die Übersetzung. Notiert…
Numérote les expressions. **Numérotez**… numéroter	Nummeriere die Ausdrücke. Nummeriert…

O	
Observe la fille. **Observez**… observer	Beobachte das Mädchen. Beobachtet…
Ouvre le dictionnaire. **Ouvrez**… ouvrir	Öffne das Wörterbuch. Öffnet…

P	
Parle français. **Parlez**… parler	Sprich französisch. Sprecht…
Pioche une carte. **Piochez**… piocher	Nimm eine Karte auf. Ziehe eine Karte. Nehmt … auf. Zieht…
Pose des questions. **Posez**… poser	Stelle Fragen. Stellt…
Prends le dictionnaire. **Prenez**… prendre	Nimm das Wörterbuch. Nehmt…
Prépare des cartes pour ton fichier. **Préparez**… préparer	Bereite Karten für deinen *fichier* vor. Bereitet… vor.
Présente ton portrait. **Présentez**… présenter	Stelle dein Porträt vor. Stellt… vor.
Procède comme dans l'activité B. **Procédez**… procéder	Gehe wie in *activité* B vor. Geht… vor.
Prononce le mot. **Prononcez**… prononcer	Sprich das Wort aus. Sprecht… aus.

R	
Raconte. **Racontez.** raconter	Erzähle. Erzählt.
Rajoute des petits dessins. **Rajoutez**… rajouter	Füge kleine Skizzen hinzu. Fügt … hinzu.
Range la carte dans la deuxième case. **Rangez**… ranger	Ordne die Karte in das zweite Fächlein ein. Ordnet… ein.
Récite la deuxième strophe. **Récitez**… réciter	Sage die zweite Strophe auf. Sagt auf…
Recule de deux cases. **Reculez**… reculer	Gehe zwei Felder zurück. Geht… zurück.

Réécoute le texte. **Réécoutez**… réécouter	Höre den Text noch einmal. Hört … noch einmal.
Regarde le film. **Regardez**… regarder	Schau den Film an. Schaut … an.
Regroupe les mots. **Regroupez...** regrouper	Gruppiere die Wörter. Gruppiert …
Relie les noms aux langues. **Reliez...** relier	Verbinde die Namen mit den Sprachen. Verbindet …
Remplis le questionnaire. **Remplissez...** remplir	Fülle den Fragebogen aus. Füllt …
Répartis ton histoire en trois scènes. **Répartissez**… répartir	Unterteile deine Geschichte in drei Szenen. Unterteilt …
Répète chaque mot à haute voix. **Répétez**… répéter	Sprich jedes Wort laut nach. Sprecht … nach.
Réponds aux questions. **Répondez**… répondre	Beantworte die Fragen. Beantwortet …
Reprends une BD. **Reprenez**… reprendre	Nimm noch einmal eine BD. Nehmt noch einmal …
Retiens six mots. **Retenez**… retenir	Behalte sechs Wörter. Behaltet …
Retourne au musée. **Retournez**… retourner	Kehre in das Museum zurück. Kehrt … zurück.
Retravaille ton texte. **Retravaillez**… retravailler	Überarbeite deinen Text. Überarbeitet …
Retrouve les trois parties. **Retrouvez**… retrouver	Finde die drei Teile wieder. Findet … wieder.

S

Souviens-toi. **Souvenez**-vous. se souvenir	Erinnere dich. Erinnert euch.

T

Tire une ligne. **Tirez**… tirer	Ziehe eine Linie. Zieht …
Travaille avec les stratégies. **Travaillez**… travailler	Arbeite mit den Strategien. Arbeitet …
Trouve quatre mots parallèles. **Trouvez**… trouver	Finde vier Parallelwörter. Findet …

U

Utilise les boîtes de traduction. **Utilisez**… utiliser	Benutze die *boîtes de traduction.* Benutzt …

V

Varie la voix. **Variez**… varier	Variiere die Stimme. Variiert …
Vérifie ta prononciation. **Vérifiez**… vérifier	Überprüfe deine Aussprache. Überprüft …
Visite le musée. **Visitez**… visiter	Besuche das Museum. Besucht …
Visualise ce mot dans la tête. **Visualisez**… visualiser	Stelle dir die Bedeutung dieses Wortes als Bild vor. Stellt euch … vor.

Nous parlons français!

Poser des questions Fragen stellen		**Donner des réponses** Antworten geben	
On a cours de quoi? Welches Fach haben wir?	> <	maths, informatique, histoire, géo Mathe, Informatik, Geschichte, Geo	
Qu'est-ce qui se passe? Was ist los?	> <		
On travaille ensemble? Arbeiten wir zusammen?	> <	Oui, d'accord. Ja, einverstanden.	Non, désolé/-e. Nein, tut mir leid.
Je te dérange? Störe ich dich?	> <	Non, pas du tout. Nein, überhaupt nicht.	
On parle français? Sprechen wir französisch?	> <	Oui, d'accord. Ja, einverstanden.	
Qu'est-ce qu'il faut faire? Was muss man tun?	> <	Il faut... Man muss...	
Qu'est-ce que c'est en allemand...? Was heisst ... auf Deutsch?	> <	C'est... Das ist...	
Qu'est-ce que c'est en français...? Was heisst ... auf Französisch?	> <	C'est... Das ist...	
Qu'est-ce que c'est? Was ist das?	> <		
Qu'est-ce que ça veut dire? Was bedeutet das?	> <	... ...	
Qu'est-ce que tu fais? Was machst du? Qu'est-ce que vous faites? Was macht ihr?	> <	Je... Ich... On... Wir...	
Tu veux me rendre un service? Tust du mir einen Gefallen?	> <	Oui, bien sûr! Ja, klar!	
Tu piges? Hast du's geschnallt?	> <	Oui. / Non. Ja. / Nein.	
Tu te souviens? Erinnerst du dich?	> <	Oui. / Non. Ja. / Nein.	
Tu es prêt/-e? Bist du bereit?	> <		
Tu as fini? Bist du fertig?	> <	Oui, ça y est. Ja, das wär's.	Non, pas encore. Nein, noch nicht.
C'est juste? Ist das richtig?	> <	Oui, c'est juste. Ja, das ist richtig.	Non, c'est faux. Nein, das ist falsch.
Qu'est-ce que tu as écrit? Was hast du geschrieben?	> <		
Comment ça s'écrit? Wie schreibt man das?	> <	Ça s'écrit avec... Das schreibt man mit ...	Je ne sais pas. Ich weiss es nicht.
Est-ce...? Ist das...?	> <	Oui. / Non. Ja. / Nein.	
Ce sont...? Sind das...?	> <	Oui. / Non. Ja. / Nein.	
Et ça, c'est quoi? Und das, was ist das?	> <	C'est... Das ist ...	
Où est...? Wo ist...?	> <		
Tu ne crois pas? Meinst du nicht?	> <		

Donner des consignes
Anweisungen geben

Aide-moi, s'il te plaît.
Hilf mir, bitte.

Cherche… dans le dictionnaire, s'il te plaît.
Schlage … im Wörterbuch nach, bitte.

Commence.
Fang an.

Continue.
Mach weiter.

Ecoute.
Hör zu.

Ecris…
Schreibe …

Lis…
Lies …

Lis plus fort.
Lies lauter.

Montre…
Zeige …

Fais voir!
Zeig!

Dépêche-toi!
Beeile dich!

Ne traîne pas!
Trödle nicht!

Arrête ça!
Hör auf damit!

Vas-y!
Los!

Répète, s'il te plaît.
Wiederhole, bitte.

Regarde…
Schau …

S'exclamer
Ausrufen

Nom d'un chien!
Verdammt! Verflixt! Donnerwetter!

Assez!
Genug!

C'est pas vrai!
Das darf doch nicht wahr sein!

Franchement!
Also wirklich!

Ça roule!
Geht in Ordnung!

Sans blague?
Ohne Witz?

Ça va pas?
Bist du noch bei Trost?

Attention!
Achtung!

Incroyable!
Unglaublich!

Zut!
Verflixt!

Jamais de la vie!
Nie im Leben!

C'est fou!
Das ist verrückt!

Fastoche!
Einfach!

J'en ai marre!
Ich habe es satt!

Faire des hypothèses
Hypothesen bilden

Je pense que c'est...
Ich denke, das ist ...

C'est peut-être...
Das ist vielleicht ...

En français, c'est peut-être...
Auf Französisch ist das vielleicht …

... me fait penser à...
… erinnert mich an …

Clarifier
Arbeitsanweisungen klären

Il faut…
Man muss …

Je pense qu'il faut...
Ich denke, man muss …

C'est écrit: «…»
Es steht: «…»

Je t'explique.
Ich erkläre es dir.

D'abord, on doit…
Zuerst muss man …

Ensuite, il faut…
Nachher muss man …

A la fin, on doit…
Am Schluss muss man …

Puis…
Dann …

Plus tard…
Später …

Finalement...
Schliesslich …

Téléphoner
Telefonieren

Allô?
Hallo?

Un instant!
Augenblick!

Je t'entends mal.
Ich höre dich schlecht.

Je te rappelle.
Ich rufe dich zurück.

Je te laisse mon numéro de portable.
Ich gebe dir meine Handynummer.

À la semaine prochaine!
Bis nächste Woche!

Combler un blanc
Füllwörter verwenden

du coup…
darum …

en fait…
eigentlich …

pour faire court…
um es kurz zu machen …

alors…
also, nun …

disons…
sagen wir …

bref…
kurzum …

enfin…
schliesslich …

mais…
aber …

donc…
also, doch …

euh…
äh, hm …

bon…
gut, schön …

hein…
nicht wahr, hä …

bof…
na ja, pff …

voilà…
natürlich, also …

puis…
dann, so …

ben…
nun, also …

Donner son avis
Die eigene Meinung äussern

Comment tu trouves…? Wie findest du…?	Je trouve ça magnifique! Ich finde das grossartig, wunderbar! Je trouve que c'est impressionnant! Ich finde, dass es beeindruckend, überwältigend ist! C'est trop fort. Das ist wirklich toll. Mon / Ma… préféré(e) est… Mein Lieblings… ist… Ça me plaît. Das gefällt mir. Ça ne me plaît pas. Das gefällt mir nicht.
Qu'est-ce que tu penses de…? Was hältst du von…?	Je préfère… Ich mag… lieber. Ça a l'air… Das wirkt… J'aime... Ich mag… J'adore… Ich mag… sehr gern. Je n'aime pas… Ich mag… nicht.
C'est facile. Das ist leicht.	C'est difficile. Das ist schwierig.
C'est très bien. Das ist sehr gut. C'est vachement bien. Das ist saumässig gut. C'est super! Das ist super! C'est le pied! Das ist der Hammer! Excellent! Ausgezeichnet! Ah oui, cool! Ah ja, toll! Bonne idée! Gute Idee! Extraordinaire! Aussergewöhnlich, einzigartig! Pas mal! Nicht schlecht!	C'est nul. Das ist miserabel. C'est absurde. Das ist absurd. C'est complètement loufoque. Das ist vollkommen verrückt. C'est faux. Das ist falsch. Non, ça ne va pas. Nein, das geht nicht. Ça ne sert à rien. Das bringt nichts. Cela ne veut rien dire. Das hat nichts zu bedeuten.
Tu es formidable! Du bist super!	Cela ne vous regarde pas. Das geht Sie / euch nichts an. Ce n'est pas de ma faute. Das ist nicht mein Fehler.

Donner son avis
Die eigene Meinung äussern

C'est possible. Das ist möglich. C'est logique. Das ist logisch. C'est correct. Das ist korrekt.	C'est difficile à dire. Das ist schwierig zu sagen.
J'aimerais écouter «…». Ich möchte gern «…» hören. J'aimerais lire «…». Ich möchte gern «…» lesen.	Je préfère écouter «…». Ich würde lieber «…» hören. Je préfère lire «…». Ich würde lieber «…» lesen.

Se présenter
Sich vorstellen

Salut! Ça va? Ciao! Wie geht's?	Ça va bien! Es geht gut!
Comment tu t'appelles? Wie heisst du?	Je m'appelle… Ich heisse… Je me présente: Je suis… Ich stelle mich vor: Ich bin… Enchanté / Enchantée! Moi, c'est… Freut mich! Ich bin… Mon nom est… Mein Name ist… On m'appelle… Man nennt mich…
Quel âge as-tu? Wie alt bist du?	J'ai... ans. Ich bin… Jahre alt.
Où habites-tu? Wo wohnst du?	J'habite... Ich wohne…
Quel / Quelle est ton / ta… préféré/-e? Was ist dein Lieblings…? Quels / Quelles sont tes… préférés/-es? Was sind deine Lieblings…?	Mon sport préféré est… Mein Lieblingssport ist… Ma chanson préférée est… Mein Lieblingslied ist… Mes matières préférées sont… Meine Lieblingsfächer sind…
	J'aime... Ich mag… J'aime moins… Ich mag… weniger. Ma passion est… Meine Passion ist… Mes hobbies sont:… Meine Hobbys sind…

Jouer aux jeux
Spielen

Commence.	Fange an.
Continue.	Fahre fort.
C'est mon tour.	Ich bin dran.
C'est ton tour.	Du bist dran.
A toi de jouer.	Du bist dran.
Je passe mon tour.	Ich setze eine Runde aus.
Mélange les cartes.	Mische die Karten.
Distribue les cartes.	Teil die Karten aus.
Prends une carte.	Nimm eine Karte.
Reprends ta carte.	Nimm deine Karte wieder.
Pioche une carte.	Nimm eine Karte auf.
Pose la carte.	Lege die Karte ab.
Je n'ai plus de cartes.	Ich habe keine Karten mehr.
Mets le pion sur la case départ.	Stelle die Spielfigur auf das Startfeld.
Jette le dé.	Würfle.
Avance de trois cases.	Rücke drei Felder vor.
Recule de deux cases.	Gehe zwei Felder zurück.
Compte les points.	Zähle die Punkte.
Ce n'est qu'un jeu.	Es ist nur ein Spiel.
Ça ne compte pas.	Das gilt nicht.

Jouer aux jeux
Spielen

On ne triche pas.	Es wird nicht geschummelt.
Pas de chance!	Pech gehabt!
Qui a gagné?	Wer hat gewonnen?
J'ai gagné!	Ich habe gewonnen!

Remonter le moral
Ermutigen

Laisse tomber!	Vergiss es!
Courage!	Kopf hoch!
Ne t'en fais pas.	Mach dir nichts draus.
Calme-toi!	Beruhige dich!
Ce n'est pas grave.	Das ist nicht schlimm.

Comparer des résultats
Ergebnisse vergleichen

J'ai noté… Ich habe … notiert. J'ai marqué… Ich habe … markiert. J'ai trouvé… Ich habe … gefunden.	
J'ai la même chose. Ich habe das Gleiche.	J'ai autre chose. Ich habe etwas anderes.
Le numéro... correspond à… Die Nummer … gehört zu …	Je suis d'accord avec toi. Ich bin mit dir einverstanden. Je ne suis pas d'accord avec toi. Ich bin mit dir nicht einverstanden. Ça ne correspond pas. Das passt nicht.
On a choisi… Wir haben … gewählt. Nous avons choisi le / la… Wir haben … gewählt. On prend… Wir nehmen …	
C'est le numéro… Das ist Nummer …	Je pense que c'est le numéro… Ich glaube, es ist Nummer …
La réponse est… Die Antwort ist …	A mon avis, la réponse est… Meiner Meinung nach ist die Antwort …
Je ne comprends pas. Ich verstehe es nicht.	

Présenter quelque chose
Etwas präsentieren

Notre présentation parle de… Unsere Präsentation handelt von …
Nous vous présentons… Wir präsentieren euch …
On vous présente… Wir präsentieren euch …
Il s'agit d'un/ d'une… Es handelt sich um …
Je vous présente… qui s'intitule «…» Ich präsentiere euch … mit dem Titel « … »

Vocabulaire de classe 5

Et si on allait voir?

Il s'agit d'un/d'une …	Es handelt sich um …
un concours	ein Wettbewerb
une fête	ein Fest
une exposition	eine Ausstellung
un événement	eine Veranstaltung
une curiosité	eine Sehenswürdigkeit
une foire	ein Jahrmarkt
un ascenseur	ein Lift
une montagne	ein Berg
…se trouve…	… befindet sich …
près de…	nahe bei …
entre…et…	zwischen … und …
au bord de…	am Rande von …
…a lieu…	… findet … statt.
au printemps, en été, en automne, en hiver	im Frühling, im Sommer, im Herbst, im Winter
au mois de…	im Monat …
janvier, février, mars, avril, mai, juin, juillet, août, septembre, octobre, novembre, décembre	Januar, Februar, März, April, Mai, Juni, Juli, August, September, Oktober, November, Dezember
…fait… de haut/de long/de large	… ist … hoch/lang/breit
Je trouve ça…	Ich finde das …
magnifique	grossartig, wunderbar
extraordinaire	aussergewöhnlich, einzigartig
impressionnant	beeindruckend, überwältigend

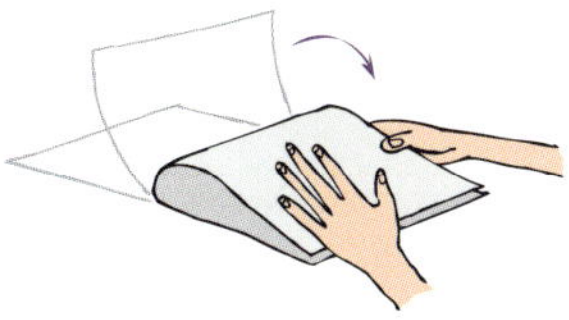

Expériences

plier	falten
découper	ausschneiden
remplir (remplis–remplissez)	füllen
placer	platzieren
poser	hinlegen, hinstellen
boucher	zuhalten
sortir (sors–sortez)	herausnehmen
scotcher	kleben
taper	schlagen
colorier	ausmalen
approcher	näherrücken
fermer	schliessen
remonter	hochkrempeln
retourner	umdrehen
toucher	berühren
pencher	kippen
plonger	tauchen
tapoter	leicht klopfen

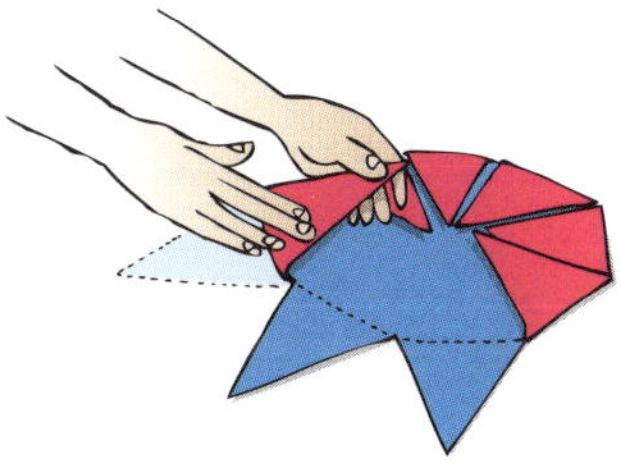

Blagues

Cela ne vous regarde pas.	Das geht Sie/euch nichts an.
Ça ne sert à rien.	Das bringt nichts.
Ce n'est pas de ma faute.	Das ist nicht mein Fehler.
Je n'ai jamais essayé.	Ich habe es nie probiert.
Je ne sais pas.	Ich weiss es nicht.
Ce n'est pas un…/une…	Das ist kein(e) …
Je ne comprends pas.	Ich verstehe es nicht.
Il n'y a plus de…	Es hat kein(e/en) … mehr.
rien du tout	überhaupt nichts
Ça fait 15 euros.	Das kostet 15 Euro.
Comment ça s'écrit?	Wie schreibt man das?

Jouer un bon tour

On a fait…	faire	Wir haben … gemacht.
J'ai dit…	dire	Ich habe … gesagt.
J'ai eu…	avoir	Ich habe … gehabt.
Elle a vu…	voir	Sie hat … gesehen.
J'ai été…	être	Ich bin … gewesen.
J'ai mis…	mettre	Ich habe … gelegt. Ich habe … gestellt.
Je suis allé(e) …	aller	Ich bin … gegangen.

Vocabulaire de classe 6

Poésie

commencer	anfangen, beginnen
chaque jour	jeder Tag
une cage	ein Käfig
une larme	eine Träne
une forêt	ein Wald
une vague	eine Welle
le loup	der Wolf
pauvre	arm
le fromage	der Käse
les déchets (m pl)	der Müll, der Abfall, der Kehricht
le silence	die Ruhe, die Stille
la fourmi	die Ameise
la tête	der Kopf
Ça n'existe pas.	Das gibt es nicht. Das existiert nicht.
Pourquoi pas?	Warum nicht?
l'arbre (m)	der Baum
le magasin	das Geschäft, der Laden
acheter	kaufen, einkaufen
le feu rouge	das Rotlicht, die Verkehrsampel
la montre	die Armbanduhr

une cage
a cage

pauvre
poor

une forêt
a forest

Ça n'existe pas.
It doesn't exist.

une vague
a wave

le silence
the silence

rond
round

carré
square

l'objet
the object

le caddie
the caddy

une invention
an invention

inventer
to invent

apparaître
to appear

Inventions

Quand?	Wann?
Cette invention date de / du…	Diese Erfindung gibt es seit…
Où?	Wo?
Cette invention apparaît à / en / au / aux…	Diese Erfindung kommt aus… / tritt in… auf.
Qui?	Wer?
C'est… qui a inventé cet objet.	…hat diesen Gegenstand erfunden.
Ce sont… qui ont inventé cet objet.	…haben diesen Gegenstand erfunden.
Pour quoi faire?	Wozu?
On utilise cet objet pour…	Man braucht diesen Gegenstand, um…
Pour qui?	Für wen?
Cette invention est pour…	Diese Erfindung ist für…
tout le monde	alle, jedermann
Comment?	Wie?
Cet objet est… / Cette invention est…	Dieser Gegenstand ist… / Diese Erfindung ist…
en bois	aus Holz
en verre	aus Glas
bon / bonne	gut
rond / ronde	rund
carré / carrée	viereckig
utile	nützlich
passionnant / passionnante	faszinierend
le dentifrice	die Zahnpasta
la brosse à dents	die Zahnbürste
le réveil	der Wecker
le mouchoir	das Taschentuch
le caddie	der Einkaufswagen
l'allumette (f)	das Zündholz, das Streichholz
les lunettes (f pl)	die Brille
la paille	der Trinkhalm (das Stroh)
la poussette	der Kinderwagen
la chasse d'eau	die WC-Spülung
le dessin animé	der Zeichentrickfilm
l'ours en peluche (m)	der Plüschbär
la souris d'ordinateur	die Computermaus

Quelle question!

Que?	
Que signifie… ?	Was bedeutet … ?
Quel / Quelle?	
Quel est le… de… ? / Quelle est la… de… ?	Welches ist der … von … ?
Quel est le plus grand… ? / Quelle est la plus grande… ?	Welcher ist der grösste … ?
Quel est le plus petit… ? / Quelle est la plus petite… ?	Welche ist die kleinste … ?
Quel objet sert à… ?	Welcher Gegenstand dient zum … ?
Qui?	
Qui a inventé… ?	Wer hat … erfunden?
Qui a… ?	Wer hat … ?
Qui est… ?	Wer ist … ?
Où?	
Où se trouve… ?	Wo befindet sich … ?
Comment?	
Comment dit-on… en… ?	Wie sagt man … auf … ?
Pourquoi?	Warum?
Quel / Quelle / Quels / Quelles?	
Quel est le… de tes rêves?	Welcher ist dein Traum… ?
Quelle est la… de tes rêves?	
Quel est ton… préféré?	Welcher ist dein Lieblings… ?
Quelle est ta… préférée?	
Quels sont tes… préférés?	
Quelles sont tes… préférées?	Welches sind deine Lieblings… ?
Qui?	
A ton avis, qui est le meilleur… / la meilleure… ?	Wer ist deiner Meinung nach der beste … ?
Où?	
Où aimerais-tu… ?	Wo möchtest du … ?
passer les vacances	die Ferien verbringen
vivre	leben
Comment?	
Comment s'appelle ton / ta… ?	Wie heisst dein … ?

Le premier voyage de Christoph Colomb

Mon nom est...	Mein Name ist …
On m'appelle...	Man nennt mich …
Nous n'avons pas de / d'...	Wir haben kein …
Nous n'avons plus de / d'...	Wir haben kein … mehr.
(de) pain (m)	Brot
(de) biscottes (f pl)	Zwieback
(d') eau (f)	Wasser
On a faim.	Wir haben Hunger.
Quoi encore?	Was ist denn jetzt schon wieder?
Rentrons!	Kehren wir nach Hause zurück!
Nous allons découvrir…	Wir werden … entdecken.

Stratégies

Comprendre un texte

S'informer auparavant
Sich im Voraus informieren

Verschaffe dir im Voraus einen Überblick über die Personen und die Handlung einer Geschichte, um sie besser zu verstehen.

Parcourir le texte
Überfliegen

Überfliege den Text. Gewinne einen ersten Eindruck und erfasse einzelne Informationen.

Titres
Titel

Achte auf den Titel eines Textes. Er kann dir schon viel über den Inhalt verraten.

Deviner
Raten

Errate die Bedeutung eines Wortes oder eines Satzes.

Entendre ce qui est connu
Bekanntes heraushören

Achte beim Hören auf Parallelwörter, bekannte Wörter, Namen und Zahlen.

Mots parallèles anglais – français
Parallelwörter Englisch – Französisch

Achte auf Wörter, die auf Englisch und Französisch gleich oder ähnlich sind. Das hilft dir beim Verstehen von Texten und beim Wörterlernen.

Noms et nombres
Namen und Zahlen

Markiere Namen und Zahlen.

Vocabulaire connu et mots parallèles
Bekannter Wortschatz und Parallelwörter

Markiere Wörter, die du kennst oder entschlüsseln kannst, wie z. B. Parallelwörter.

Ich habe gelernt, …
» kurze Filme oder Filmausschnitte im Grossen und Ganzen zu verstehen.

Tâche
Rétrospective

Ich habe meine Eindrücke vom Film «Les Choristes» mit anderen ausgetauscht.

Französisch hören, lesen, sprechen, schreiben
Ich kann einen französischen Spielfilm im Grossen und Ganzen verstehen.
Ich kann mich in einfachen Worten zu einzelnen Gesichtspunkten des Films äussern.

Bewusstheit für Sprachen und Kulturen
Ich kenne den französischen Spielfilm «Les Choristes».

Lernstrategien
Ich weiss, dass ich einen Spielfilm besser verstehen kann, wenn ich mir im Voraus einen Überblick über den Inhalt verschaffe.

Das habe ich auch noch gelernt

Le premier voyage de Christoph Colomb

Mon nom est...	Mein Name ist …
On m'appelle...	Man nennt mich …
Nous n'avons pas de / d'...	Wir haben kein …
Nous n'avons plus de / d'...	Wir haben kein … mehr.
(de) pain (m)	Brot
(de) biscottes (f pl)	Zwieback
(d') eau (f)	Wasser
On a faim.	Wir haben Hunger.
Quoi encore?	Was ist denn jetzt schon wieder?
Rentrons!	Kehren wir nach Hause zurück!
Nous allons découvrir…	Wir werden … entdecken.

Ich habe gelernt, …
» kurze Filme oder Filmausschnitte im Grossen und Ganzen zu verstehen.

Tâche
Rétrospective

Ich habe meine Eindrücke vom Film «Les Choristes» mit anderen ausgetauscht.

Französisch hören, lesen, sprechen, schreiben

Ich kann einen französischen Spielfilm im Grossen und Ganzen verstehen.

Ich kann mich in einfachen Worten zu einzelnen Gesichtspunkten des Films äussern.

Bewusstheit für Sprachen und Kulturen

Ich kenne den französischen Spielfilm «Les Choristes».

Lernstrategien

Ich weiss, dass ich einen Spielfilm besser verstehen kann, wenn ich mir im Voraus einen Überblick über den Inhalt verschaffe.

Das habe ich auch noch gelernt

Vocabulaire de classe

Je trouve que… est…	Ich finde, dass… …ist.
Peut-être que… est…	Vielleicht ist… …
A mon avis… est…	Meiner Meinung nach ist… …
sympa	sympathisch
arrogant / arrogante	arrogant
malheureux / malheureuse	unglücklich
timide	schüchtern
sensible	sensibel
sévère	streng
stressé / stressée	nervös
effrayé / effrayée	erschrocken
joyeux / joyeuse	fröhlich
impatient / impatiente	ungeduldig
maladroit / maladroite	ungeschickt
fâché / fâchée	zornig, wütend
content / contente	zufrieden
sûr de lui / sûre d'elle	selbstsicher
Je pense que… se sent…	Ich denke, dass… sich… fühlt.
triste	traurig
mal à l'aise	nicht wohl
heureux / heureuse	glücklich

Vocabulaire **personnel**

Über das Lernen nachdenken

	selten – oft
Ich organisiere mein Lernen selbstständig.	
Ich überlege mir, welche Lernstrategien mir besonders nützlich sind.	
Ich setze mir eigene Ziele.	
Ich wiederhole, was ich gelernt habe, damit ich es behalten kann.	
Ich schätze meine Lernergebnisse und meine Fortschritte selber ein.	
Ich vergleiche das Lernen verschiedener Sprachen miteinander (Deutsch, Französisch, Englisch …)	
Ich mache mir mit Hilfe des Sprachenportfolios Gedanken über abgeschlossene Arbeiten und ziehe für meine weitere Arbeit Schlüsse daraus.	

Das nehme ich mir vor

Apprendre par cœur – rythmer les textes
Sich Textstellen merken – Texte rhythmisieren

Merke dir Textstellen, indem du sie mehrmals hintereinander rhythmisch aussprichst.

Apprendre par cœur – en mouvement
In Bewegung auswendig lernen

Lies den Text im Gehen. Versuche, immer weniger auf den Text zu schauen und zunehmend grössere Abschnitte auswendig zu sprechen.

Apprendre par cœur – avec le CD
Mit der CD auswendig lernen

Höre den Text auf der CD immer wieder und sprich leise mit. Drehe die Lautstärke jedes Mal etwas zurück, bis du den Text ohne CD auswendig sprechen kannst.

Apprendre par cœur – avec des objets
Mit Gegenständen auswendig lernen

Lies den Text mehrmals durch. Lege mehr und mehr Gegenstände aus dem Etui auf den Text und lies ihn so lange, bis du nicht mehr stockst oder die Gegenstände nicht mehr verschieben musst.

Apprendre en enseignant

Apprendre en enseignant
Lernen durch Lehren

Lehre andere, was du gelernt hast. Dabei machst du selber Fortschritte.

Faciliter la compréhension de textes
Entschlüsselungshilfen zur Verfügung stellen

Mache zu einem Text Angaben wie Übersetzungen, Skizzen oder Anschriften, die anderen beim Entschlüsseln helfen.

Meine Einstellungen
zum Lernen

	selten	oft
Ich nutze Gelegenheiten, um französisch zu sprechen.		
Ich nutze fakultative Angebote.		
Ich traue mir beim Sprechen und Schreiben viel zu und gehe das Risiko ein, Fehler zu machen.		
Ich nutze Fehler, um weiterzulernen.		
Ich arbeite mit anderen zusammen.		
Ich hole bei anderen Hilfe.		
Meine Mitschülerinnen und Mitschüler korrigiere ich freundlich.		
Ich nutze Rückmeldungen und Beurteilungen von Mitschülerinnen und Mitschülern als Chance zum Weiterlernen.		
Ich frage nach, wenn ich etwas nicht verstanden habe.		
Wenn mir etwas nicht gelingt, versuche ich es noch einmal.		
Ich nutze auch ausserhalb der Schule französische Materialien und Medien wie Zeitschriften, Bücher, Videos, Spiele, Fernsehen, Radio, Internet…		

Das nehme ich mir vor

Table des **matières**

Bienvenue dans ta nouvelle école! classe!

Comment tu t'appelles?

Mon nom est..., mais on m'appelle...

J'habite...

Quels sont tes hobbies?

C'est le...

Est-ce que tu as des frères et sœurs?

Quel est ton… préféré?
- animal
- livre
- plat
- jeu
- groupe de musique
- sport
- …

Quel est le... de tes rêves?
- métier
- lieu
- voyage
- …

Quelle est ta... préférée?
- couleur
- boisson
- …

Quelle est la… de tes rêves?
- maison
- ville
- …

Quels sont tes... préférés?
- sportifs
- chanteurs
- films
- prénoms
- ...

Quelles sont tes... préférées?
- matières scolaires
- activités
- séries télé
- ...

Bienvenue dans **le futur!**

Tu fais un voyage extraordinaire – un voyage dans le futur. Tu découvres des inventions futuristes.

Un jour, ces inventions feront peut-être partie de ta vie. De la science-fiction? Oui et non. Eh bien, bienvenue dans le futur!

Auf dieser Reise in die Zukunft begegnest du einem Spider-Man-Anzug, einem Unterwasser-Hotel, einem fliegenden Auto, einem Roboter-Hund und vielem mehr. Manche dieser futuristischen Erfindungen entspringen der Fantasie, andere sind gar nicht mehr so weit weg von der Wirklichkeit. Sie sind in Planung oder existieren bereits als Prototypen.

Wie wird es wohl wirklich sein, wenn du 20, 30 oder 40 Jahre alt bist?

Rue des **étoiles**

Grégoire

1–2

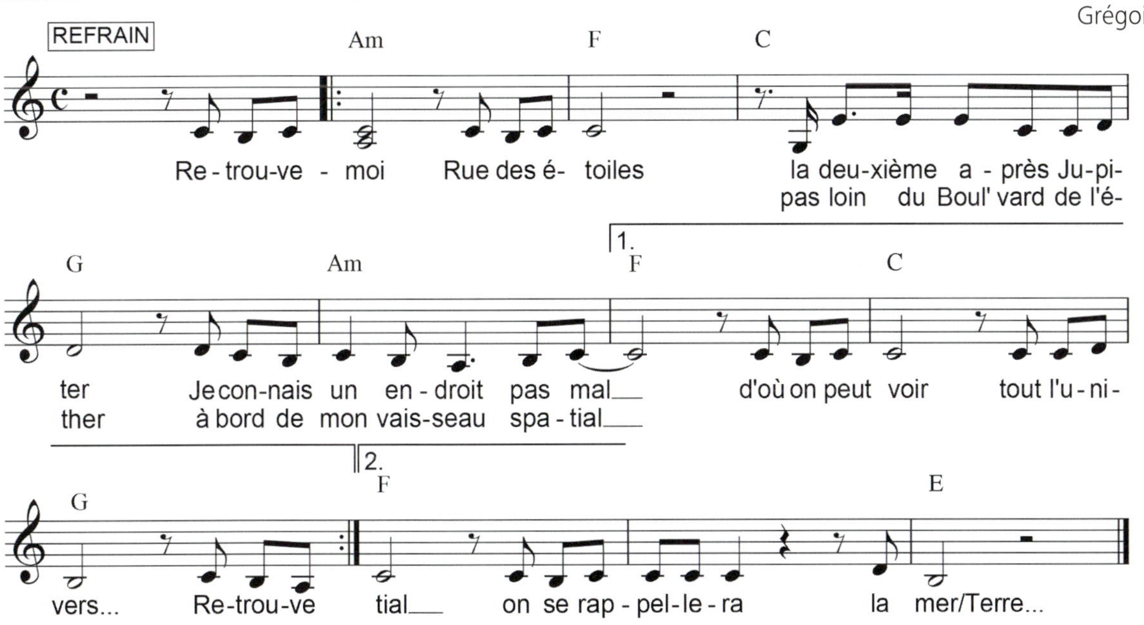

Allô! Là je suis dans le bus
le quarante-et-un pour Vénus
celui qui va jusqu'à Mercure
J'ai pas pris la ligne vingt-et-une
y'avait trop de monde sur la lune
Il fallait descendre à l'azur.

Et toi, où es-tu dans l'espace?
Attends, je n'entends plus, je passe
dans un tunnel d'astéroïdes…
Tu disais avant le trou noir
que tu n'irais pas voir ce soir
ta sœur et son mari androïde.

On pourrait se rejoindre.
J'ai des rêves à te peindre…

REFRAIN

Toi et moi, toi et moi.

On se balad'ra sur Neptune
c'est deux planètes après Saturne
Il faudra suivre les comètes
On apercevra Uranus
Aussi Pluton, le terminus
là, où la galaxie s'arrête
Je sais, on n'ira pas sur Mars
car c'est là qu'habite la garce
qui t'a volé ton ancien mec
Mais oublie tes nuits sans sommeil
de l'infini jusqu'au soleil
je t'apprendrai à vivre avec…

Et tellement d'autres choses
l'envie en overdose.

REFRAIN

Grégoire
Grégoire Boissenot et né en 1979 à Senlis en France. C'est un auteur-compositeur-interprète français. Son premier album «Toi et moi» est vendu à plus d'un million de fois. Il devient disque diamant et remporte la première place des ventes d'albums en France en 2009.

Le clip se trouve sur le CD.

Aperçu de la tâche

Imaginons le futur

Dans ce magazine, tu découvres beaucoup d'inventions futuristes. Dans la tâche, tu crées toi-même une idée futuriste en mots et en images. Le dossier de la classe de toutes les inventions t'invite à jeter un coup d'œil dans le futur.

Objectifs

Französisch hören, lesen, sprechen, schreiben
Ich kann die Arbeitsanweisungen im *magazine* verstehen, wenn ich sie in der *revue* nachschlagen kann.
Ich kann in kurzen, informativen Texten vieles verstehen, wenn mir Verstehenshilfen zur Verfügung stehen.
Ich kann einem Fernsehbeitrag einzelne Informationen entnehmen.
Ich kann kurze Texte vorlesen, wenn ich vorher geübt habe.
Ich kann eine futuristische Erfindung beschreiben.
Ich weiss, wie sich der grösste Teil der Adjektive dem Geschlecht und der Zahl des Nomens anpasst, und kann diese Hauptregel anwenden.
Ich kenne die Endungen von Verben auf *-re* und *-ir* im *présent.*

Bewusstheit für Sprachen und Kulturen
Ich weiss, dass in Genf jedes Jahr die bedeutendste Erfindermesse der Welt stattfindet.
Ich weiss, dass in Frankreich viele neue englische Wörter (Anglizismen) durch französische Wörter ersetzt werden.

Lernstrategien
Ich kann Online-Wörterbücher verwenden.
Ich kann mir über eine abgeschlossene Arbeit mit Hilfe des ESP Gedanken machen und für meine weitere Arbeit Schlüsse daraus ziehen.
Ich weiss, dass ich mir korrekte Formen merken kann, wenn ich möglichst viele Hörgelegenheiten nutze.

Das habe ich auch noch gelernt

Sport – fun garanti!
Vacances de rêve
Voitures dernier cri
Des robots à tout faire – de la science-fiction?

B

Lilypad – l'île flottante
Du liest Texte über eine schwimmende Insel. Du wendest dir bekannte Strategien an und lernst eine neue kennen.
› vorher zu bearbeiten: A

C

Voyage dans le futur
Du informierst dich über ein paar futuristische Erfindungen.
› vorher zu bearbeiten: A B

D

Bienvenue au Salon des Inventions à Genève!
Du schaust einen Filmbeitrag und informierst dich dabei über den «Salon des Inventions».
› vorher zu bearbeiten: A

E

Futuriste, utile et intelligent
Du siehst eine Adjektivsammlung und erkennst Unterschiede in der Aussprache. Du wiederholst Regeln und findest neue.
› vorher zu bearbeiten: A B C

F

Futuroscope – le jeu
Du entdeckst weitere futuristische Erfindungen und spielst ein Kartenspiel.
› vorher zu bearbeiten: A B C

G

C'est top!
Du übst, futuristische Erfindungen zu beschreiben.
› vorher zu bearbeiten: A B C E F

Imaginons le futur
Du erfindest etwas Futuristisches und gestaltest einen Beitrag für das Klassendossier.

Joystick ou manche à balai?
Du suchst in französischen Textausschnitten englische Wörter (Anglizismen) und vergleichst französische Wörter mit «Franglais»-Ausdrücken.
› vorher zu bearbeiten: A B C

ATELIER V1
Les robots à tout faire
Du entdeckst die Konjugation von *-ir-* und *-re-*Verben im *présent*. Du übst, einige Verben anzuwenden.
› vorher zu bearbeiten: A B C

Futuroscope
Du entdeckst futuristische Erfindungen.

ATELIER V2
Ça roule?
Du repetierst die Konjugation der *-er-*Verben und der Verben *être* und *avoir* im *présent*.
› vorher zu bearbeiten: A B C

A
B
C
D
E
F
G
H
T
ATELIER V1
ATELIER V2

Sport – fun garanti!

La folie Street surfer

9

Pour tous les ados, le Street surfer, c'est LE vélo à posséder! L'engin combine les sensations d'un BMX et d'un surf.

Son secret? Quatre roues avant qui autorisent des figures impressionnantes, des virages serrés et les sauts les plus fous. Fun garanti!

Depuis quelques années, le Street Surfer a du succès en Australie. C'est top!

Ça plane en Hover scooter

10

Le sport fun qui va faire fureur? Le Hover scooter.

Cet aéroglisseur se déplace sans toucher le sol grâce à un coussin d'air comprimé. On n'est pas loin du skate volant…

Ce scooter, qui atteint 24 km/h, existe depuis quelques années.

Accrobranche géant en mode Spider-Man

11

Cette randonnée sportive consiste à passer d'arbre en arbre, en s'agrippant aux branches à la manière de l'homme-araignée.

Facile! Il suffit de mettre une légère combinaison couverte de «nanopoils» artificiels (une matière adhésive). Cette technologie s'inspire de la matière naturelle qui recouvre les pattes de certains lézards, capables de grimper n'importe où.

Bienvenue dans le futur!

Ski sur route

12

Pas de neige dans les Alpes? Il faudra construire un jour des stations de ski dans l'Himalaya...

Entre-temps, le ski se pratique sur la route. Des stations de loisirs et de compétition accueillent les meilleurs spécialistes.

Le Canada a déjà adopté le ski sur route, avec des épreuves de fond. Ça n'interdit pas de se faire un bon schuss. Gare aux gamelles!

Vacances de rêve

Un hôtel sous-marin futuriste

13

L'hôtel est suspendu à sept mètres au-dessus de la mer par cinq piliers.

Le pont supérieur accueille le restaurant de l'hôtel, une terrasse panoramique, un jardin tropical et une piste d'atterrissage pour hélicoptères.

Le pont sous-marin, construit à 30 m de profondeur, accueille 21 chambres, un bar, ainsi qu'un centre de plongée sous-marine avec chambre de décompression pour les plongeurs.

D'autres activités aquatiques sont proposées aux clients de cet hôtel, comme des explorations des fonds en sous-marin 3 places, du bateau, du jet ski, du ski nautique et du scooter sous-marin.

Aux Maldives, la construction de cet hôtel partiellement immergé va bientôt commencer. C'est du luxe, non?

Hop, la valise intelligente

14

Fini de traîner la valise derrière soi.

La valise intelligente suit son propriétaire d'elle-même. Pour la commander, il suffit d'utiliser son Smartphone. Facile!

Rodrigo Garcia, un étudiant de l'Université de Madrid, a inventé cette valise en 2012. Ça risque d'être cool.

Des monuments bien vivants

15

Visiter des lieux historiques qui deviennent réels. Une expérience passionnante!

Imaginons une visite de la ville antique de Rome. Tandis qu'on traverse les ruines à pied, celles-ci sont soudain reconstituées. Grâce aux nouvelles technologies, chaque monument reprend l'apparence qu'il avait il y a environ 2000 ans. Comment ça?

Des images en trois dimensions (3D) sont projetées sur les ruines. On a l'impression de se trouver dans la ville intacte d'autrefois.

A chaque coin de rue, des Romains virtuels apparaissent et font découvrir leur vie au temps de Jules César.

L'image en 3D (l'hologramme) existe depuis plusieurs années. Mais l'idée de ressusciter des lieux historiques avec cette technologie est plutôt futuriste.

Vol autour de la Lune

16

Dirigée par un pilote, la petite capsule spatiale fait un tour complet de la Lune. Elle s'approche à moins de 100 kilomètres de la surface de la Lune et propose un «lever de Terre». Un petit tour par la station ISS (International Space Station) est également envisagé, avant de retourner sur Terre.

Ce voyage est accessible dès aujourd'hui, puisqu'un voyageur de l'espace a déjà signé son chèque de 150 millions de dollars pour réserver sa place. Et si un autre passager se paie des petites vacances lunaires rapidement, alors le premier voyage touristique lunaire peut bientôt démarrer. Une destination de rêve, pas vrai?

Voitures dernier cri

En route pour les grands fonds

17

Imagine une voiture sur une route. D'une simple pression sur un bouton, elle se transforme en véhicule amphibien. Un système spécial ravitaille le conducteur en air frais, et le tout fonctionne avec un moteur sous-marin électrique.

Ça a l'air bien marrant. Mais cet engin n'est pas encore en vente...

On peut plier les autos

18

Avec la voiture électrique pliante, ça ne fait pas un pli: il suffit d'appuyer sur un bouton pour que l'engin ramène ses roues arrière vers l'avant et s'empile ainsi avec d'autres véhicules du même type.
Trop facile!

Cette idée est actuellement développée par une équipe de recherche américaine. On voit le modèle dans des expos, pas encore dans la rue.

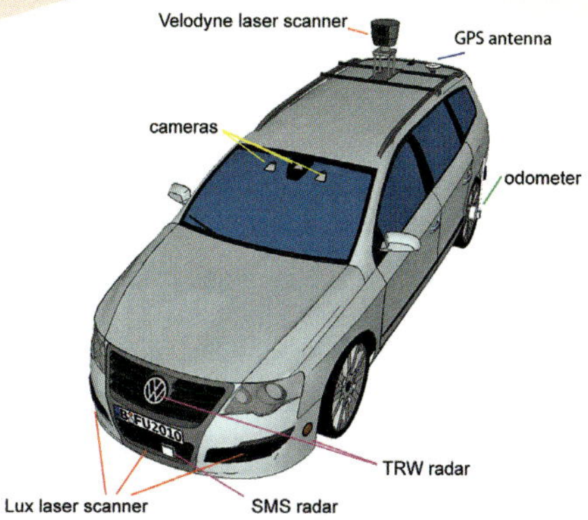

La voiture autonome

19

Techniquement, la voiture 100% autonome, ça marche; ces véhicules équipés de capteurs et d'une sorte de radar sur le toit sont capables de se déplacer seuls dans la circulation. Conduire dans le futur ressemble ainsi au pilotage d'un avion: on ne fait rien d'autre que surveiller des appareils de navigation.

Bref, la science-fiction risque de devenir réelle plus vite que prévu. Mais en Europe, les voitures sans chauffeur sont interdites sur la route (pour l'instant). Certains Etats des Etats-Unis ont pourtant déjà adapté leur législation.

La voiture hélico

20

Le Pal-V est une voiture capable de décoller quand le trafic est dense. Cet engin mesure 4 mètres de long sur 1 mètre de large et fait 1.60 mètre de haut.

Il se compose de deux rotors: un au niveau du cockpit qui permet de stabiliser la voiture en vol et un autre au niveau de la queue régulant la vitesse de déplacement.

Le Pal-V peut aller jusqu'à 200 km/h et a une autonomie de près de 600 km à cette vitesse élevée.

Seul bémol de ce prototype: le décollage. Pour prendre son envol, il lui faut près de 50 mètres de piste.

Bilder: PalVco

Des robots à tout faire – de la science-fiction?

21

Un astronaute à tout faire

On ne les voit pas encore dans la vie de tous les jours, mais la révolution des robots est en marche.

Le robot humanoïde ASIMO par exemple est capable de monter et descendre des escaliers, reconnaître des visages, saluer, comprendre la parole humaine, analyser son environnement, garder son équilibre sur des surfaces inégales, sauter à cloche pied, courir, porter des objets, etc.

ASIMO mesure 1.30 mètre, il pèse 48 kg et il a une vitesse de course de 9 km/h.

Dans le futur, les robots ASIMO serviront à aider les personnes handicapées, âgées ou malades et à effectuer des travaux dangereux. Sympa!

22

Rock stars trop branchées

Applaudissez bien fort Ashura, Mach et Cosmo, les trois musiciens du groupe pop-rock Z-Machines. La spécificité de ce groupe? Ce sont des robots créés par un prof d'université de Tokyo.

Ashura est le batteur aux 22 baguettes, Mach, le guitariste aux 78 doigts. Il mesure 2 mètres et il a de longs cheveux fabriqués de câbles. Au keyboard, on trouve Cosmo.

D'un point de vue technique, les trois musiciens maîtrisent parfaitement bien leurs instruments. Mais comme ce sont des robots, leur musique est plutôt monotone.

En automne 2013, le groupe a donné un concert. Comme à chaque fois que les robots montent sur scène, ils ont électrisé la foule. Ça promet!

Le sport c'est bon... pour les robots

23

Football, danse, course, basket, boxe... les robots sont sportifs et participent même aux compétitions internationales pour robots.

Le foot est le sport le plus populaire de la rencontre entre les professionnels de la robotique.

Que de buts, que de buts! La 15e éditions de la RoboCup à Singapour n'a pas déçu les 4000 fans qui ont fait jouer au foot les robots de leur création.

Le Champion du monde 2010 de la RoboCup est Dynaped, conçu par l'Université de Bonn en Allemagne.

L'objectif de la RoboCup: battre les humains champions du monde en 2050. Chiche!

Le chien - mon compagnon

24

Un AIBO est un chien robot développé au Japon.

Les AIBO peuvent se déplacer, voir leur environnement et comprendre des commandes. Ce sont des robots autonomes qui apprennent sous la conduite de leur propriétaire. Les AIBOS sont conçus de façon à être caractériels et n'obéissent pas systématiquement aux ordres.

Le nom AIBO signifie *ami* ou *compagnon* en japonais. AI veut aussi dire *amour* en japonais. Les lettres A-I-B-O peuvent en plus représenter ***A**rtificial **I**ntellligence* of Ro**BO**t.

Sony commercialise l'AIBO comme premier robot de compagnie en 1999. Les 3000 «chiens» produits pour le marché japonais sont vendus en 20 minutes. En 2006, Sony annonce pourtant d'abandonner le développement des robots AIBO pour des raisons financières. Fini le futur? Non! D'autres chiens robots sont en vente, comme Zoomer, le petit robot à 4 roues qui ressemble vaguement à un dalmatien. Trop mignon!

Futuro**scope**

Tu découvres des inventions futuristes.

Un vélo street-surfer, un hôtel sous-marin, une voiture volante, un chien robot...
Plein d'idées futuristes!

» Faites un voyage dans le futur. Regardez le futuroscope.

3

» Regardez les images et écoutez les expressions.
» Echangez vos idées sur les inventions futuristes.

un hôtel dans l'océan	ein Hotel im Ozean
un chien artificiel	ein künstlicher Hund
un monorail	eine Einschienenbahn
un chien robot	ein Roboter-Hund
un street-surfer	ein Strassen-Surfer
un train suspendu	eine Hängebahn
un hôtel sous-marin	ein Unterwasser-Hotel
un vélo spécial	ein besonderes Velo

Qu'est-ce que c'est?

Je pense que c'est...

Comment tu trouves...
- ce véhicule? Fahrzeug
- cet animal?
- ce bâtiment? Gebäude
- ce robot?
- cette invention?
- cet objet?
- cette construction ?
- ....?

Je trouve ça...
Ça a l'air... Das wirkt ...
- intéressant
- vachement bien
- super
- bizarre
- nul
- cool
- extraordinaire
- utile
- ...

Ça me plaît.	Das gefällt mir.
C'est le pied!	Das ist der Hammer!
Pas mal!	Nicht schlecht!
C'est fou!	Das ist verrückt!

un scooter	ein Roller
un robot sportif	ein sportlicher Roboter
un aéroglisseur	ein Luftkissenfahrzeug
une ville flottante	eine schwimmende Stadt
une voiture volante	ein fliegendes Auto
une île mobile	eine bewegliche Insel
une auto-avion	ein Auto-Flugzeug
un robot humanoïde	ein menschenähnlicher Roboter

Lilypad – **l'île flottante**

Tu lis des textes qui parlent d'une île flottante.
Tu appliques des stratégies que tu connais et tu en apprends une nouvelle.

Lilypad est un paradis futuriste pas encore réalisé. Ça te dirait d'y habiter?

4

» Lisez et écoutez le texte «Lilypad – un projet futuriste».
» Regardez les images.
» Regardez les mots parallèles et les mots traduits en allemand.

ausgedacht · jung · belgisch · der Teil

Lilypad – un projet futuriste
Lilypad a été imaginée par le jeune architecte belge, Vincent Callebaut. Sa ville flottante est comme un iceberg: il y a la partie émergée et la partie immergée. Chaque île est prévue pour héberger et nourrir 50 000 personnes.

schwimmend · herausragend · beherbergen · ernähren · unter Wasser liegend · Insel

5–8

» Choisissez un autre texte. Lisez et écoutez-le.
Appliquez les stratégies.
» Lisez le titre et regardez les images.
» Marquez les mots connus, les mots parallèles, les noms et les nombres.
» Notez les mots importants en allemand.
» Devinez les mots que vous ne connaissez pas.
» Utilisez le dictionnaire aux pages 58 et 59 ou un autre dictionnaire si nécessaire.

» Continuez avec un autre texte.
» Echangez les informations trouvées avec un autre groupe.

Titres
Titel
Images
Bilder
Noms et nombres
Namen und Zahlen
Vocabulaire connu et mots parallèles
Bekannter Wortschatz und Parallelwörter
Deviner
Raten
Dictionnaire
Wörterbuch

La partie émergée: vue imprenable sur l'océan
Au centre, on trouve un bassin d'environ 200 m de diamètre où est stockée l'eau douce destinée à la consommation. Le ballast sert aussi à loger des gens: sur 40 étages, toute sa paroi est tapissée d'appartements. «Ce sont des hôtels», précise l'architecte Vincent Callebaut, «des logements pour les visiteurs de l'île». Ces appartements offrent une vue imprenable sur l'océan. Manger ses tartines le matin au milieu des bancs de poissons, ça ne s'oublie pas!

La partie immergée: des logements pour les «Lilypadiens»
Les milliers d'appartements pour les habitants se trouvent dans les 3 montagnes de 20, 40 et 60 étages.

Cultiver son jardin
Pas mal la vue, non? De la plus haute des «montagnes» à 200 m au dessus du niveau de la mer, on a un panorama imprenable sur l'océan et sur la montagne en face! Mais la terrasse, c'est aussi le petit jardin privatif du locataire de l'appartement. Sur une bande de terre de 5 m de large, on fait pousser ses propres légumes. tomates, courgettes, radis, carottes: chacun et chacune dans Lilypad vit, du moins en partie, de la nourriture qu'il produit!

Fabriquer une énergie propre
Lilypad fabrique elle-même l'énergie consommée par ses habitants. Des milliers de panneaux solaires et des centaines d'éoliennes fournissent l'électricité nécessaire.

» Tu trouves d'autres projets futuristes de cet architecte sous www.vincent.callebaut.org

Activité B

Tu connais beaucoup de stratégies pour comprendre un texte.
Maintenant, tu utilises un nouvel instrument: le dictionnaire en ligne.

Voici les liens de 3 dictionnaires en ligne:
- de.pons.com
- woerterbuch.reverso.net
- dict.leo.org

Pour l'expression «panneau solaire», les dictionnaires en ligne donnent différents résultats.
» Comparez les résultats.

Dictionnaires en ligne
Online-Wörterbücher

Schau ein Wort in verschiedenen Online-Wörterbüchern nach, damit du die treffendste Übersetzung findest.

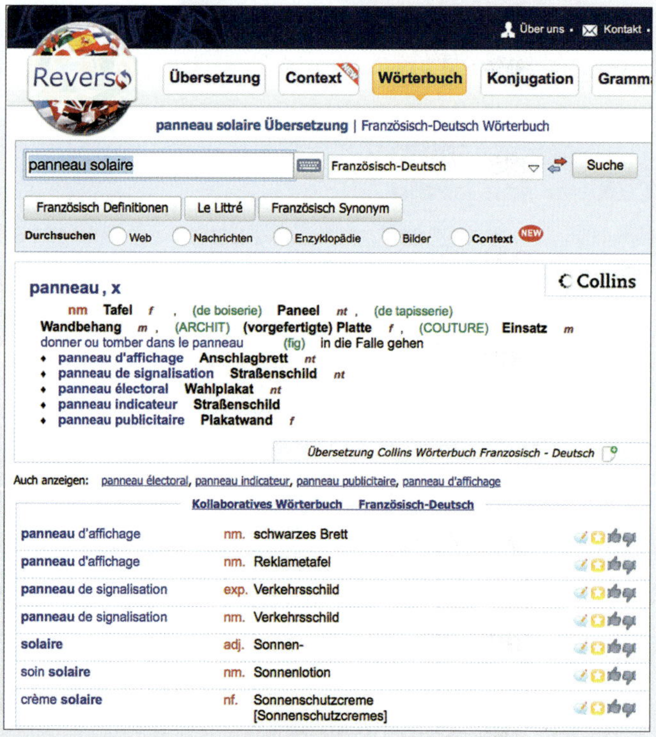

» Cherchez d'autres mots dans les dictionnaires en ligne. Notez-les.
» Comparez les résultats. Marquez les traductions qui conviennent le mieux.

la paroi	pons:	Innenwand, Wand, Trennwand, Felswand
	reverso:	Wand, Trennwand
	leo:	Bergwand, Innenwand, Wand, Wandung, Seitenwand

Avec quels dictionnaires en ligne aimerais-tu travailler?
» Coche.
❐ reverso ❐ leo ❐ pons ❐ …

» Présentez vos résultats.

Nous avons cherché le mot «…». Voici nos résultats:…

Voici les traductions pour «…»: …

Selon nous, la meilleure traduction pour «…» est…

Moi, je préfère le dictionnaire «…».

J'aimerais travailler avec les dictionnaires «…» et «…».

Activité **C**

Voyage dans le **futur**

Tu t'informes sur quelques inventions futuristes.

Tu piges ?

» Lisez toutes les consignes de cette activité.
La revue peut vous aider à comprendre.

» Discutez ce qu'il faut faire.

Il faut…

Je pense qu'il faut…

D'abord, on doit…

Ensuite, il faut…

A la fin, on doit…

Il faut…/On doit…
feuilleter
choisir
procéder
lire
écouter
appliquer
noter
consulter
continuer
dire
donner

» Feuilletez les pages 12 à 19. Choisissez une invention futuriste qui vous intéresse.

feuilletez
blättert durch

Comment tu trouves…?

cette invention
ce sport
cet engin
cette destination de vacances
ce bâtiment
ce véhicule
cette voiture
ce robot
cet animal
cet objet
cette construction
…

Je trouve ça…
Ça a l'air…

intéressant
vachement bien
super
bizarre
nul
cool
extraordinaire
utile
…

Ça me plaît.
C'est le pied!
Pas mal!
C'est fou!

On lit le texte «…»? D'accord?

Je préfère…

Activité C

» Procédez comme dans l'activité B.
  » Lisez et écoutez le texte.
  » Appliquez les stratégies. Notez les mots importants en allemand. Consultez le dictionnaire aux pages 58 et 59 si nécessaire.

9–24

consultez
schlagt nach

» Continuez avec au moins 2 autres inventions futuristes.

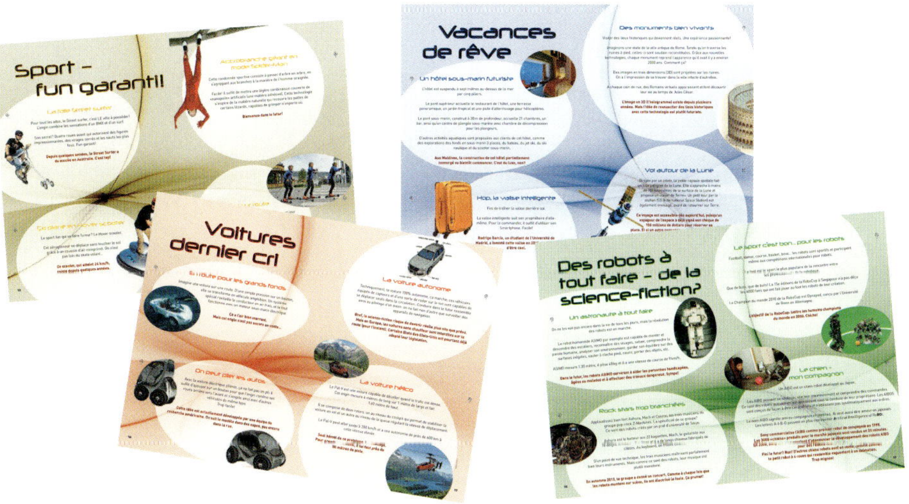

Titres
Titel
Images
Bilder
Noms et nombres
Namen und Zahlen
Vocabulaire connu et mots parallèles
Bekannter Wortschatz und Parallelwörter
Deviner
Raten
Dictionnaire
Wörterbuch
Dictionnaires en ligne
Online-Wörterbücher

» Dites à un autre groupe sur quelles inventions futuristes vous vous êtes informés.
Donnez votre avis.
Les expressions de la page 26 peuvent vous aider.

Nous avons choisi le/la...

C'est un/une...
Il s'agit d'un/d'une ...

On trouve cette invention...
Ça a l'air...

» Lis et écoute d'autres textes.

Activité **D**

Bienvenue au Salon des Inventions à Genève!

Tu t'informes sur le Salon des Inventions en regardant un film.

Le Salon International des Inventions de Genève est la plus importante exposition dans le monde des inventions. Chaque année, des centaines de nouveautés y sont exposées.

» Regardez le reportage sur l'édition 2012 du Salon.

Il y a plusieurs personnes dans le reportage. Qui dit quoi?
Les expressions en vert sont les mots les plus importants.

» Lisez-les.

» Regarde le reportage une 2e fois et écris le numéro de la personne dans les bulles.

1

La présentatrice

2

L'envoyé spécial

( ) ...un système pour chauffer une boîte de conserve sans l'ouvrir....

( ) ...ce robot humanoïde, un des plus sophistiqués au monde...
dieser menschenähnliche Roboter, einer der hochentwickeltsten der Welt

(1) ...un vélo sans selle...

( ) ...un dispositif anti-rayonnement WIFI...
eine nicht strahlende WIFI-Anlage

( ) Vous avez eu cette idée il y a 40 ans. C'était une idée de génie?

3

Le président-fondateur du salon

4

Le commentateur

5

Un robot humanoïde

6

Un inventeur vaudois

7

Une inventrice chinoise

8

Un inventeur italien

Est-ce qu'en 40 ans on arrive à trouver, chaque année, des inventions, des trouvailles attractives?

On se promène parmi plus de 700 exposants venus de 45 pays.

Il faut beaucoup voyager.

Nous n'exposons que des nouveautés, que du jamais-vu.

This will be used when the engine…
Ça peut être utile si le moteur tombe en panne.

Bonjour Genève, hello Geneva.

Lorsqu'on veut reconnaître une personne, comprendre un message vocal, faire un déplacement dans l'espace…

…cet architecte italien qui a inventé une bibliothèque sur roulettes, de laquelle on peut extraire table et chaises.

…des centaines d'idées venues de partout dans le monde.

I met very…
J'ai vu pas mal de gens intéressés par mon invention.
… interested in my invention.

Au revoir.

C'est le numéro…

D'accord.

Je pense que c'est le numéro…

» Comparez vos numéros. Regardez le film pour vérifier.

Qu'est-ce que vous trouvez intéressant?
» Echangez vos impressions.

Activité **E**

Futuriste, utile et intelligent

Tu vois beaucoup d'adjectifs. Tu distingues les différences de prononciation. Tu redécouvres des règles et tu en trouves d'autres.

On trouve beaucoup d'adjectifs dans les textes sur des inventions futuristes.
Tu peux les utiliser quand tu décris ton invention.

25–29 ■ » Ecoute les adjectifs.

Les terminaisons de certains adjectifs changent pour les noms masculins ou féminins.
Est-ce que tu entends les différences?

30–32 » Ecoute et note les numéros correspondants dans les cases ou travaille à l'ordinateur.

petit/petite
klein

grand/grande
gross

géant/géante
riesig

long/longue
lang

adhésif/adhésive
selbstklebend, haftend

léger/légère
leicht

futuriste
futuristisch

populaire
populär, beliebt

télécommandé/télécommandée
ferngesteuert

moderne
modern

autonome
selbstständig

rapide
schnell

un voyage
eine Reise
une bicyclette
une trottinette
un train
un matériau
un monorail
une capsule spatiale
eine Raumkapsel
un moteur
une éolienne
ein Windrad
une machine
une ville
un bassin
un projet
un avion
un parachute
ein Fallschirm
une combinaison
ein Overall
une technologie
un chien robot
un objet
une invention
un bâtiment
ein Gebäude
…

bon/bonne
gut

impressionnant/impressionnante
beeindruckend

nouveau/nouvelle
neu

premier/première
erster, erste, erstes

passionnant/passionnante
faszinierend

fou/folle
verrückt

pliant/pliante
zusammenklappbar

volant/volante
fliegend

flottant/flottante
auf dem Wasser schwimmend

sous-marin/sous-marine
Unterwasser…

sportif/sportive
sportlich

intelligent/intelligente
intelligent

un sport
une expérience
eine Erfahrung
un hôtel
un vol
ein Flug
une randonnée
eine Wanderung
un robot
une valise
ein Koffer
une voiture
ein Auto
un hélicoptère
une auto
une île
eine Insel
un stade
ein Stadion
un lac
ein See
un tapis
ein Teppich
un engin
une rock star
un groupe de robots
une idée
un appartement
une maison
ein Haus
…

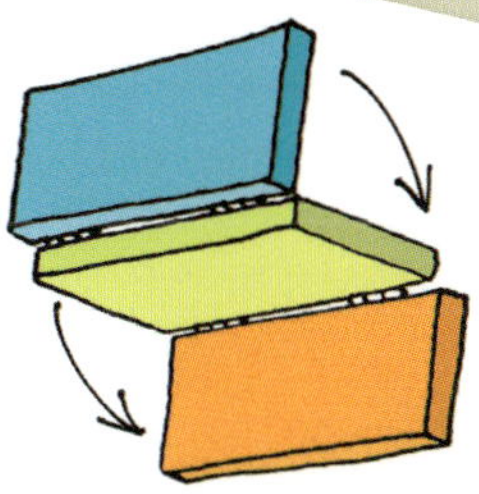

artificiel/artificielle
künstlich

virtuel/virtuelle
virtuell

utile
nützlich

pratique
praktisch

naturel/naturelle
natürlich

électrique
elektrisch

» Comparez vos résultats.

» Regardez les solutions à la page 60.

Activité **E**

Masculin ou féminin? Singulier ou pluriel?
Te souviens-tu des règles de base qui sont valables pour la plupart des adjectifs?

» Complète les 3 cases.

le robot intelligent un hélicoptère pliant	la valise intelligente la voiture pliante
un hôtel sous-marin	la plongée ....
un sport	une expérience passionnante

Facile?

le vélo électrique un chien robot populaire	la voiture électrique une rock star populaire
un engin	une idée futuriste
un objet pratique	une invention ....

Et au pluriel?

des robots intelligents (m)	des valises .... (f)
des hélicoptères .... (m)	des voitures pliantes (f)
les vélos .... (m)	les voitures électriques (f)
des engins futuristes (m)	des idées .... (f)

» Note les règles de base.

» Echangez vos notes.

» Echangez les règles en classe.

Pas de règle sans exception.
Mais même dans les exceptions, on peut trouver des régularités.

» Regarde les adjectifs dans les cases 1, 2 et 3. Est-ce que tu trouves des régularités?

A droite, tu vois des adjectifs qui fonctionnent de la même façon.
» Attribue les numéros 1, 2 et 3.

1
virtuel / virtuelle
naturel / naturelle
artificiel / artificielle

2
léger / légère
premier / première

3
sportif / sportive
adhésif / adhésive

- [3] actif / active
- [ ] actuel / actuelle
- [ ] neuf / neuve — neu, ungebraucht
- [ ] régulier / régulière — regelmässig
- [ ] fier / fière — stolz
- [ ] officiel / officielle
- [ ] dernier / dernière — letzter
- [ ] réel / réelle — real, wirklich
- [ ] cher / chère — lieb
- [ ] industriel / industrielle
- [ ] vif / vive — lebhaft, lebendig
- [ ] amer / amère — bitter

» Comparez vos numéros.

Il existe d'autres exceptions.

» Regardez les adjectifs.
» Ajoutez-en d'autres si vous voulez.

fou / folle	long / longue
nouveau / nouvelle	
bon / bonne	

Pour trouver les formes correctes d'un adjectif, on peut consulter un dictionnaire (en ligne).

Activité E

J'imagine un hélicoptère sous-marin. – Je pense à un tapis volant. – C'est une bonne idée.

» Créez quelques paires avec des noms et des adjectifs des pages 30 et 31.
Accordez les adjectifs.

accordez
passt an

J'imagine un/une…

Je pense à un/une/des…

C'est un/une…
Ce sont des…

» Notez quelques phrases. Utilisez des noms et des adjectifs au singulier et au pluriel.
Ajoutez quelques expressions de la page 35 si vous voulez.

Une île volante, c'est le pied.

C'est un tapis rapide. Cool!

Ce sont des trottinettes flottantes. Vachement bien!

J'imagine un robot intelligent.

Stellung des Adjektivs

Die meisten Adjektive stehen nach dem Nomen.
Beispiel: une voiture pliante

Vor dem Nomen stehen oft:
petit, grand, bon, premier, dernier, nouveau, long
Beispiel: une petite capsule

Corriger
Korrigieren

Überprüfe Texte von anderen auf sprachliche Korrektheit. So gewinnst du mehr Sicherheit im Verwenden von Formen.

» Corrigez ensemble.

Chouette!
Toll!

C'est top!

Cool!

Utile!
Nützlich!

Ça risque d'être cool!
Das könnte cool sein!

C'est fou!
Das ist verrückt!

Pas si bête!
Gar nicht so dumm!

Vachement bien!
Saugut!

Pas mal!
Nicht schlecht!

C'est complètement loufoque!
Das ist vollkommen verrückt!

C'est le/la… à posséder.
Dieses … muss man haben (besitzen)!

Fun garanti!
Vergnügen/Fun garantiert!

Super!

C'est pas vrai!
Das gibt's doch nicht!

Ça promet!
Das sind ja schöne Aussichten!

C'est du luxe, non?
Das ist Luxus, nicht?

Bienvenue dans le futur!
Willkommen in der Zukunft!

Ça ne fait pas un pli!
Darauf kannst du wetten!
Daran gibt's nichts zu rütteln!

Un/une… de rêve
Ein Traum…/Eine Traum-…

Sympa!
Sympathisch!

Trop facile!
Zu einfach!

Pour tous les ados!
Für alle Teenager!

La science-fiction!

Trop mignon!
Zu herzig! Zu niedlich!

C'est le pied!
Das ist der Hammer!

Dernier cri!
Hochmodern! Der letzte Schrei!

Activité **F**

Futuroscope – le jeu

Tu découvres plus d'inventions futuristes. Tu joues à un jeu de cartes.

Dans le jeu, tu lis des phrases. D'abord, tu prépares la lecture à haute voix.

33–40

» Regardez les images. Lisez et écoutez les phrases.
Pour comprendre, consultez le vocabulaire de classe à la page 39 et les boîtes de traduction.

» Préparez la lecture à haute voix.

Aérocar – la voiture volante

- Ce véhicule est une sorte d'auto-avion.
- Cet engin a des ailes.
- Cette auto vole. C'est fou!
- Cette voiture est capable de se transformer en avion.

Solar Drop et Winds Tower – l'anti-smog à Paris

- Cette construction a la forme d'une grande balle de rugby.
- Cette invention est capable d'éliminer le smog.
- C'est comme un filtre pour le smog. Pas mal!
- La tour à côté du «Solar Drop» a des éoliennes.

Hydropolis – l'hôtel sous-marin

- Il s'agit d'un hôtel sous-marin avec 220 chambres.
- C'est un bâtiment dernier cri.
- On voit les poissons depuis sa chambre. C'est le pied!
- Dans cet hôtel, il y a un train pour transporter les clients.

un avion	ein Flugzeug
des ailes (f)	Flügel
se transformer	sich verwandeln
la tour	der Turm
des éoliennes (f)	Windräder
dernier cri	hochmodern (der letzte Schrei)
un train	ein Zug

Flying Bike – le vélo volant
- Ce véhicule permet de faire du sport. Vachement bien!
- Ce vélo a quatre hélices.
- Il s'agit d'un vélo volant.
- Il faut pédaler pour faire un tour.

Engkey – le robot professeur
- On voit la professeure sur un écran.
- Cette invention est pratique pour les écoles.
- Ce robot sert à donner des cours d'anglais.
- Une professeure dirige cette machine à distance.

Lilypad – la ville flottante
- Cette construction ressemble à un nénuphar géant.
- Il s'agit d'une ville construite sur une île artificielle.
- Cette île est autonome
- La ville flottante a la forme d'une grande fleur.

Sea Tree – l'arbre de mer
- Cette tour verte mesure 30 mètres de haut.
- Cet arbre artificiel permet aux animaux d'habiter en ville.
- Sur cette tour flottante, il y a des plantes.
- C'est pratique pour les animaux comme l'oiseau, la chauve-souris ou le corail.

Glowing Plant – l'arbre lampadaire
- C'est comme un arbre, mais aussi comme un lampadaire.
- Les gènes de lucioles éclairent les rues. C'est utile!
- C'est pratique pour les gens qui habitent en ville.
- Cette invention permet de voir la nuit.

des hélices (f)	Propeller
pédaler	in die Pedale treten
un nénuphar	eine Seerose
une fleur	eine Blume
des plantes (f)	Pflanzen
le corail	die Koralle
un lampadaire	eine Strassenlaterne
les gènes (m)	die Gene
des lucioles (f)	Glühwürmchen
les gens (pl)	die Leute
la nuit	nachts

Activité F

» Lisez les règles du jeu.

» Jouez au jeu.
Utilisez les expressions dans les bulles.

la pioche	der Kartenstapel
pioche	nimm auf/ziehe
plus de cartes	keine Karten mehr

Futuroscope – Le jeu

Matériel
- 3 cartes par joueur
- la pioche

Règles

» **A** Lis la phrase d'une de tes cartes à haute voix, sans montrer l'image.

» **B/C** Contrôle si tu as une carte de la même invention.
  » Oui: lis la phrase à haute voix.
  » Non: pioche 1 carte.

» **A** Pose ta carte.
B/C Vérifie:
  » la même image qu'A: pose la carte.
  » une autre image qu'A: pioche 2 cartes.

» **B** Lis la phrase d'une de tes cartes à haute voix, sans montrer l'image.

» **A/C** …

Gagné
Le premier/La première qui n'a plus de cartes.

Activité F

» Lis et écoute les expressions. Mémorise-les. La page 40 peut t'aider.

41–42

mesurer
to measure

une sorte de
a sort

pratique
practical

un véhicule
a vehicle

capable
capable

un robot
a robot

intelligent
intelligent

une construction
construction

artificiel
artificial

ressembler
to resemble

rapide
rapid

la forme
the form

C'est une sorte de...	Das ist eine Art ...
un véhicule	ein Fahrzeug
un bâtiment	ein Gebäude
un robot	ein Roboter
une construction	eine Konstruktion
...ressemble à un/une...	... gleicht .../ist ähnlich wie ...
...est comme un/une...	... ist wie ...
...a la forme d'un/d'une...	... hat die Form ...
...mesure... (de long, de large, de haut)	... misst... (ist ... lang/ breit/hoch)
C'est pratique pour...	Das ist für ... praktisch.
...est capable de...	... ist fähig zu .../... kann ...
...permet de...	... ermöglicht zu .../... erlaubt zu ...
faire un tour	eine Runde machen/drehen
faire du sport	Sport machen/treiben
voler	fliegen
Il/Elle a...	Er/Sie/Es hat ...
Il y a un/une... pour...	Es hat ... um zu ...
Il/Elle/C'est...	Er/Sie/Es/Das ist ...
nouveau/nouvelle	neu
le premier.../la première...	der/die/das erste ...
intelligent/intelligente	intelligent
sportif/sportive	sportlich
artificiel/artificielle	künstlich
rapide	schnell
Pas mal!	Nicht schlecht!
Vachement bien!	Saugut!
C'est fou!	Das ist verrückt!
C'est le pied!	Das ist der Hammer!

» Choisis d'autres expressions pour ton vocabulaire personnel.
Note-les dans la revue.

Activité **F**

Comment mémoriser des expressions?
» Souviens-toi des stratégies.

Fichier

Répéter le vocabulaire
Wortschatz repetieren

Repetiere systematisch die Wörter in deinem *fichier.*

Le fichier se trouve sur le CD. Il existe aussi sous forme d'application sur l'*App Store* ou sur le *Google Play Store*.

Images
Imagine ou dessine des images.

Images
Bilder

Schau die Bilder gut an oder stelle dir selber Bilder zu einem Wort vor. Bilder helfen dir, Wörter zu verstehen oder zu behalten.

Activités fichier

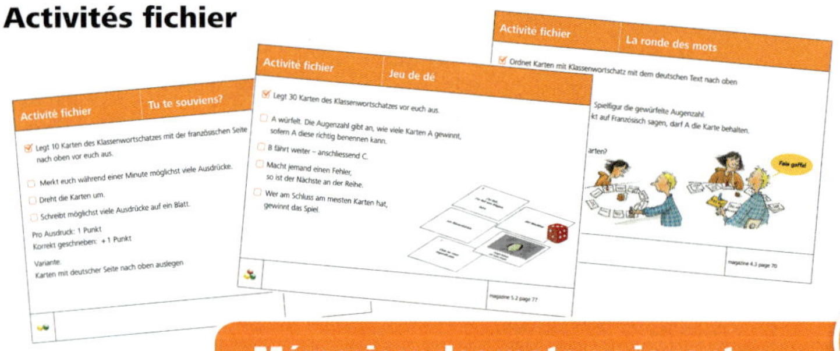

Mémoriser des mots en jouant
Sich beim Spielen Wörter merken

Lerne Wörter, indem du sie beim Spielen anwendest.

un véhicule
a vehicle

pratique
practical

mesurer
to measure

Mots parallèles anglais–français
Parallelwörter Englisch–Französisch

Achte auf Wörter, die auf Englisch und Französisch gleich oder ähnlich sind. Das hilft dir beim Verstehen von Texten und beim Wörterlernen.

Prononcer et écrire
Lis et prononce les mots à haute voix.
Ecris les mots et corrige-les.
Ecris les mots les yeux fermés. Corrige.
Demande à ton partenaire de dire les mots en allemand. Note-les en français.

Ecrire correctement
Wörter richtig schreiben

Schreibe Wörter mehrmals auf und lasse sie von jemandem in der Klasse oder vom Computer korrigieren.

eine Welle **une vague** eine Waage

Méthode mots-clés
Schlüsselwortmethode

Merke dir Wörter, die dir immer wieder entfallen, indem du dir ein bewegtes Bild vorstellst. Es verbindet das Bild des französischen Wortes, das ähnlich gesprochen oder geschrieben wird.

Floating stadium

In den *magazines* findest du neu die Rubrik «Méli-mélo». Hier wird ein Sammelsurium an Inhalten zur Unterhaltung angeboten. Viel Vergnügen bei der Lektüre!

43

The Olympic Games usually provide the city with a positive impulse, at least in theory. They bring economic advantages and provide an opportunity for initiating urban renewal projects. But there is also one big disadvantage: afterwards, the city is left with overcapacity in sports facilities. For example, people visiting Beijing now can see that the impressive stadium designed by Herzog & De Meuron and the beautiful swimming hall designed by the Australian architect duo PTW have fallen into disuse. If those buildings had been implemented as floating structures, they could have been moved to locations with a real requirement.

C'est **top!**

Tu t'entraînes à décrire des inventions futuristes.

Ces inventions sont plutôt cool.
Qui ne rêve pas de voler un jour ou de faire du cheval à dos de robot?
Tu préfères te déplacer en aéroglisseur ou rouler confortablement en voiture autonome?
Pourquoi pas passer tes prochaines vacances à l'hôtel volant «Star walk»?
Fun garanti!

- » Choisis une invention futuriste.
- » Regarde les critères à la page 57.
- » Décris l'invention. Les activités E et F peuvent t'aider.
- » Continue avec une autre invention.

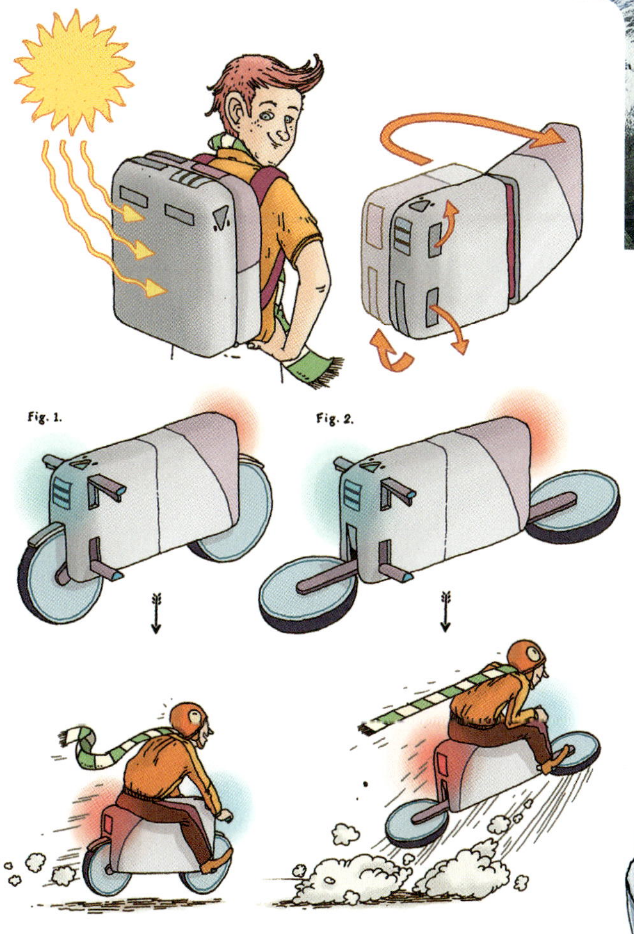
Fig. 1.
Fig. 2.

HOTEL STAR-WALK

Activité **H**

Joystick ou manche à balai?

Tu cherches des mots «franglais». Tu compares des expressions françaises aux mots «franglais».

Dans des textes français ou allemands, on trouve beaucoup de mots anglais.
Est-ce que tu reconnais les mots anglais dans ces extraits?

» Marquez les mots anglais.

La folie Street surfer

L'engin combine les sensations d'un BMX et d'un surf.

Fun garanti!

C'est top!

Ça plane en Hover scooter

On n'est pas loin du skate volant.

Bref, la science-fiction risque de devenir réelle plus vite que prévu.

Un niveau du cockpit qui permet de stabiliser la voiture en vol.

Dans le futur, les robots ASIMO serviront à aider les personnes handicapées.

Football, danse, course, basket, boxe...

Rock stars trop branchées

Au keyboard, on trouve Cosmo.

Street surfer
Bicycle Moto Cross (BMX)
Scooter

Seit jeher sind Wörter von einer Sprache in andere Sprachen «gewandert».
Für neue Erfindungen braucht es neue Namen. Heute stammen diese häufig aus der englischen Sprache und werden fast unverändert in andere Sprachen übernommen.

» Lisez les informations sur le «franglais».

Franglais = français + anglais

In Frankreich gibt es Bestrebungen, die französische Sprache zu erhalten. «Français» soll nicht zu stark zu «Franglais» werden. Deshalb gibt es im Französischen viele neue Wörter für englische Ausdrücke. Diese sind oft ebenso geläufig wie die Wörter, die aus dem Englischen übernommen worden sind.

Activité H

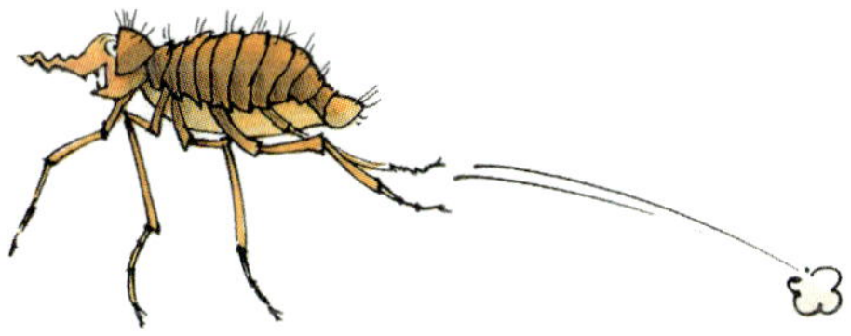

» Lisez et écoutez les expressions en «franglais» et en français. 44–45

» Cherchez les expressions françaises pour les expressions «franglaises».
Notez les numéros correspondants ou travaillez à l'ordinateur.
Lisez les traductions allemandes pour vous amuser.

	Franglais		**Français**
1.	le talk-show die Sprechschau		le manche à balai der Besenstiel
2.	un airbag ein Luftsack		une puce ein Floh
3.	le joystick der Freudenstiel		le mode de veille der Ruhezustand
4.	le fast-food das Schnellessen		le tir au but das Zielschiessen
5.	surfer sur le net Wellenreiten auf dem Netz		le lait frappé die geschlagene Milch
6.	le stand-by der Bei-Stand		un coussin de sécurité ein Sicherheitskissen
7.	le baby-sitting das Baby-Sitzen		un grille-pain ein Brotröster
8.	le milk-shake das Milch-Schütteln		une planche à roulettes ein Brett mit Rädchen
9.	un chip ein Baustein	**1**	l'émission-débat (f) die Streitgesprächssendung
10.	un Post-it ein Es-Ankleben		hors-jeu ausserhalb des Spiels
11.	un mountain bike ein Bergvelo		naviguer sur la toile auf dem Netz segeln
12.	un toaster ein Röster		la garde d'enfants das Kinderhüten
13.	le penalty die Strafe		la restauration rapide die schnelle Verpflegung
14.	un skateboard ein Gleitbrett		un vélo tout terrain (VTT) ein Alle-Gelände-Velo
15.	off-side weg von der Seite		une colle note eine Klebenotiz

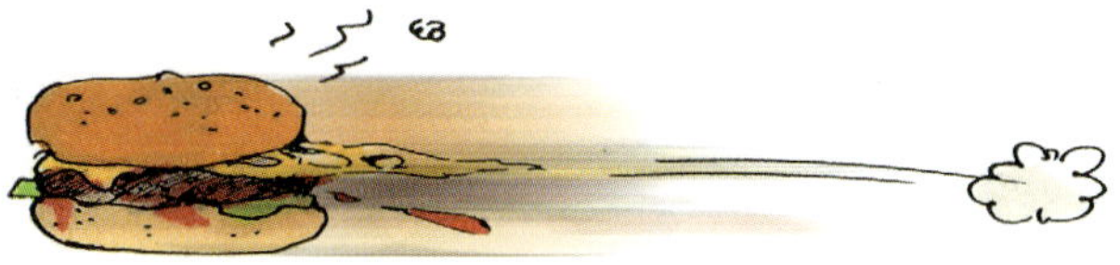

» Regardez les solutions à la page 60.

HitchBOT

« Making my way across Canada – one ride at the time »

Aujourd'hui, les robots sont une réalité. Pourtant, il reste rare de croiser un robot dans la rue. Rare – mais pas impossible: Les Canadiens ont pu rencontrer HitchBOT, un robot auto-stoppeur.

Le corps de HitchBOT est en fait un seau d'eau et sa tête une cloche à fromage ou à tarte. Avec ses bottes en caoutchouc, ses gants de jardin, ses bras et ses jambes fabriqués à partir de frites de piscine et son siège auto directement intégré à son derrière, il est parfaitement équipé pour faire du stop. En plus, il est capable de parler et d'afficher des messages sur les écrans de sa tête.

From the Atlantic to the Pacific Ocean

HitchBOT started his journey in Halifax. He hitchhiked all the way to Victoria – about 6000 km! He was invented by researchers from Toronto to find out if humans can be trusted to help robots.

You can have a closer look at his profile on Twitter, on Facebook or at hitchbot.me.

Imaginons **le futur**

Tu inventes quelque chose de futuriste et tu crées une page pour le dossier de classe.

Tu piges ?

» Lisez toutes les consignes de la tâche. La revue peut vous aider à comprendre.

» Discutez ce qu'il faut faire.

Il faut…

Je pense qu'il faut…

D'abord, on doit…

Ensuite, il faut…

A la fin, on doit…

Il faut…/On doit…
chercher
regarder
faire
esquisser
décrire
échanger
retravailler
créer
ajouter
exposer
découvrir
écrire
créer

» Cherche une idée pour une invention futuriste.

» Regarde les critères.

Les critères
- Dein Text enthält viele Informationen und ist verständlich.
- Der Wortschatz, den du verwendest, ist passend und abwechslungsreich. Dein Text enthält Adjektive.
- Du verwendest den Klassenwortschatz korrekt. Die Adjektive sind angepasst.
- Du wagst es, eigene Formulierungen zu verwenden.
- Dein Blatt ist ansprechend gestaltet. Die Skizzen illustrieren die Erfindung.

» Fais un brouillon.
  » Esquisse ton invention futuriste.
  » Décris l'invention. Les activités E, F et G peuvent t'aider.

esquisse
skizziere

Mots et phrases modèles
Musterwörter und -sätze

Suche in den Texten Wörter und Sätze, die du beim Sprechen und Schreiben verwenden kannst.

» Echangez vos brouillons. Appliquez la stratégie «Relecture».

» Retravaille ton texte.

» Crée la version définitive sur une feuille A4.

» Ajoute une boîte de traduction si nécessaire.

Relecture
Gegenlesen

Gib den Text jemandem zu lesen.
Er/Sie soll dir den Inhalt auf Deutsch erzählen. So kannst du feststellen, ob dein Text verständlich ist.

» Exposez vos feuilles.
Découvrez les inventions futuristes des autres.
Ecrivez des commentaires. La page 21 et la revue («Nous parlons français!») peuvent vous aider.

» Créez le dossier de classe.

Le vélo intelligent
Ce qui me plaît, c'est...
J'aime bien...

Les robots à tout faire

Tu découvres la conjugaison des verbes en *-ir* et en *-re* au présent.
Tu t'entraînes à employer quelques verbes.

Les robots servent à tout faire: travailler, jouer au foot, porter des objets, descendre des escaliers, remplir des verres...

Attention aux verbes!
La plupart des verbes se terminent en *-er* à l'infinitif.
Mais il en existe d'autres en *-ir* et en *-re*. Ils ont une conjugaison légèrement différente.

46 ■ » Lis et écoute les phrases.

Verbes en *-ir* et en *-re*	
Je mets une combinaison adhésive.	mettre
Tu choisis un skate volant ou un Street surfer?	choisir
Il/Elle/On construit un hôtel sous-marin.	construire
Nous mettons une combinaison adhésive.	mettre
Vous choisissez un skate volant ou un Street surfer?	choisir
Ils/Elles construisent un hôtel sous-marin.	construire

» Ecris les terminaisons des verbes en *-ir* et en *-re* à côté du radical.

la personne	le radical	la terminaison
Je	met	s
Tu	choisi	
Il/Elle/On	construi	

la personne	le radical	la terminaison
Nous	mett	
Vous	choisiss	
Ils/Elles	construis	

47 » Ecoute les verbes et marque les terminaisons qu'on n'entend pas.

Viele Verbendungen hört man nicht.
Man muss sie aber trotzdem schreiben.

elle met – il prend

Wenn der *radical* auf *-t* oder *-d* endet, wird in der *il*-Form die *terminaison -t* nicht angefügt.

Atelier de verbes 1

Est-ce que tu te souviens des verbes en *-er*?

» Compare les terminaisons des 2 grilles bleues. Note tes découvertes.

la personne	le radical	la terminaison
Je	visit	e
Tu	travaill	es
Il/Elle/On	parl	e

la personne	le radical	la terminaison
Nous	visit	ons
Vous	travaill	ez
Ils/Elles	parl	ent

» Echangez vos découvertes.

» Ecoutez les verbes. Comparez les radicaux.
Marquez les différences que vous entendez.

48

le radical, les radicaux
der Wortstamm, die Wortstämme

Singulier	**Pluriel**
Je mets une combinaison adhésive.	Nous mettons un gilet intelligent.
Tu mets...	Vous mettez...
Il met...	Ils mettent...
Je choisis un skate volant ou un Street surfer.	Nous choisissons un chien ou un chat robot.
Tu choisis...	Vous choisissez...
Elle choisit...	Elles choisissent...
Je construis un hôtel sous-marin.	Nous construisons un aéroglisseur.
Tu construis...	Vous construisez...
On construit...	Ils construisent...

» Notez vos observations.

» Echangez vos observations.

Atelier de verbes 1

» Entraîne-toi à l'ordinateur à employer des verbes en *-ir* et en *-re* au présent.
Note les points.

date	points

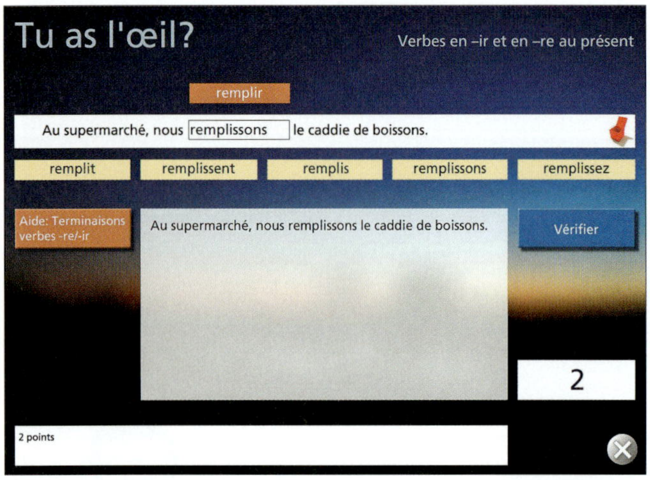

Mémoriser des formes à l'oreille
Sich Formen über das Gehör merken

Nutze möglichst viele Hörgelegenheiten, um dir die unterschiedlichen Formen eines Verbs zu merken.

» Choisissez à tour de rôle une personne pour former une phrase correcte.

Elle vit sur une île.

Nous remplissons le questionnaire.

vis en France (vivre)
vivez à Genève
vivent pour le sport
vit sur une île
vivons dans un appartement sous-marin

conduisez des vélos spéciaux? (conduire)
conduit une voiture hélico
conduis le scooter
conduisent des capsules spatiales
conduisons bien

remplissent le bassin (remplir)
remplis la valise intelligente
remplissez la grille
remplit la boîte
remplissons le questionnaire

» Note tes découvertes sur les verbes en -ir et en -re dans la revue.

Ça roule?

Tu répètes la conjugaison des verbes en *-er* et des verbes *être* et *avoir* au présent.

Tu te souviens du magazine 6.2?
Voici une petite répétition. Ça roule?
» Entraîne-toi à l'ordinateur à employer des verbes en *-er*.

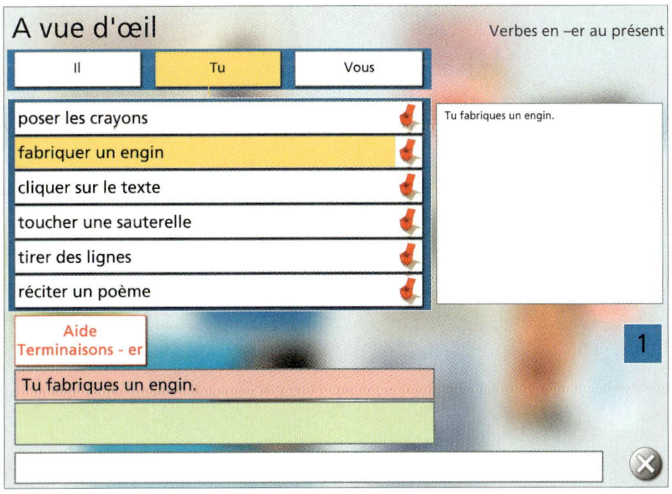

» Jouez au jeu «Avoir et être» à l'ordinateur.

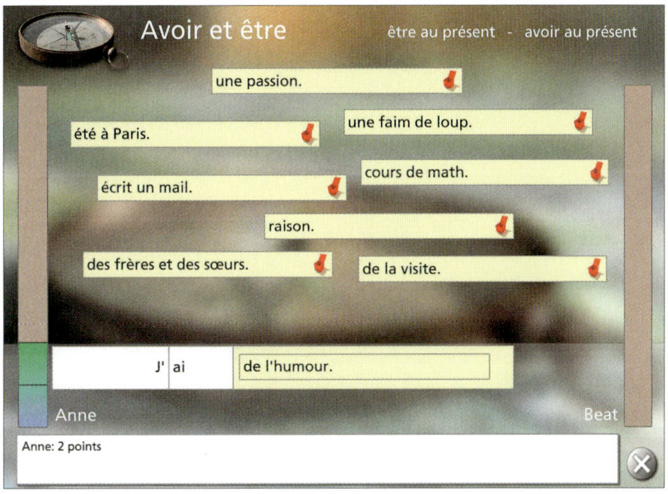

Zoom

Tu as regardé les inventions futuristes de ta classe. Lesquelles trouves-tu intéressantes?

___

___

___

Ich kann in kurzen, informativen Texten vieles verstehen, wenn mir Verstehenshilfen zur Verfügung stehen.

Ich kann eine futuristische Erfindung beschreiben.

In der *tâche* hast du eine eigene futuristische Erfindung beschrieben. Denke nun über deine Arbeit nach. Wähle im Sprachenportfolio auf Formular 2 des Arbeitsdossiers mehrere Fragen aus und beantworte sie schriftlich.

Ich kann mir über eine abgeschlossene Arbeit mit Hilfe des ESP Gedanken machen und für meine weitere Arbeit Schlüsse daraus ziehen.

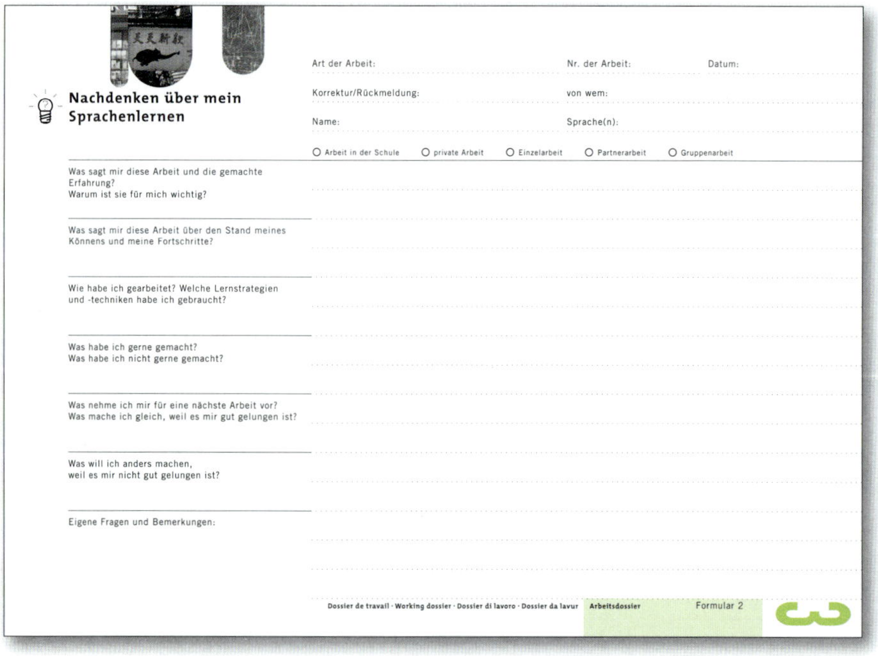

Nachdenken über mein Sprachenlernen

Art der Arbeit: Nr. der Arbeit: Datum:

Korrektur/Rückmeldung: von wem:

Name: Sprache(n):

○ Arbeit in der Schule ○ private Arbeit ○ Einzelarbeit ○ Partnerarbeit ○ Gruppenarbeit

Was sagt mir diese Arbeit und die gemachte Erfahrung?
Warum ist sie für mich wichtig?

Was sagt mir diese Arbeit über den Stand meines Könnens und meine Fortschritte?

Wie habe ich gearbeitet? Welche Lernstrategien und -techniken habe ich gebraucht?

Was habe ich gerne gemacht?
Was habe ich nicht gerne gemacht?

Was nehme ich mir für eine nächste Arbeit vor?
Was mache ich gleich, weil es mir gut gelungen ist?

Was will ich anders machen,
weil es mir nicht gut gelungen ist?

Eigene Fragen und Bemerkungen:

Dossier de travail · Working dossier · Dossier di lavoro · Dossier da lavur Arbeitsdossier Formular 2

Activité C page 27

Einen Text über eine futuristische Erfindung lesen und wesentliche Informationen auf Deutsch aufschreiben	++	+	+/–	–
Dein Text enthält die wesentlichen Informationen.				

Activité F page 38

Die Texte auf den Spielkarten vorlesen	++	+	+/–	–
Du liest die Sätze richtig vor.				

Activité G pages 42 à 44

Eine futuristische Erfindung beschreiben	++	+	+/–	–
Dein Text enthält mehrere Informationen und ist verständlich.				
Du verwendest den Klassenwortschatz korrekt.				

Tâche pages 47 à 49

Punkte	**4**	**3**	**2**	**1**	**0**
Inhalt	Dein Text enthält sehr viele Informationen. Er ist verständlich. ❒	Dein Text enthält viele Informationen. Er ist meist verständlich. ❒	Dein Text enthält einige Informationen. Er ist einigermassen verständlich. ❒	Dein Text enthält sehr wenige Informationen. Er ist schwer verständlich. ❒	❒
Sprache Wortschatz	Der Wortschatz, den du verwendest, ist passend und sehr abwechslungsreich. ❒	Der Wortschatz, den du verwendest, ist meist passend und abwechslungsreich. ❒	Der Wortschatz, den du verwendest, ist teilweise passend und wenig abwechslungsreich. ❒	Der Wortschatz, den du verwendest, ist oft unpassend und wiederholt sich häufig. ❒	❒
Klassenwortschatz und Adjektive		Du verwendest den Klassenwortschatz korrekt. Alle Adjektive sind richtig angepasst. ❒	Du verwendest den Klassenwortschatz mehrheitlich korrekt. Die meisten Adjektive sind richtig angepasst. ❒	Du verwendest nur wenige Satzstrukturen und Ausdrücke des Klassenwortschatzes korrekt. Die Adjektive sind kaum richtig angepasst. ❒	❒
Mut zum Risiko			Du wagst mehrmals, eigene Formulierungen zu verwenden. ❒	Du wagst, eine eigene Formulierung zu verwenden. ❒	❒
Gestaltung			Dein Blatt ist ansprechend gestaltet. Die Skizzen illustrieren die Erfindung gut. ❒	Dein Blatt ist teilweise ansprechend gestaltet. Die Skizzen illustrieren die Erfindung nur bedingt. ❒	❒

A

	adapter	anpassen
	adhésif/adhésive	selbstklebend, haftend
l'	ado m	der Jugendliche
	Abkürzung von: l'adolescent	
l'	air m	die Luft
l'	apparence f	das Erscheinungsbild
l'	autonomie f	*hier:* die Reichweite
d'	autrefois	aus früheren Zeiten/von früher

B

	battre	besiegen, schlagen
le	batteur	der Schlagzeuger
le	bémol	*siehe:* seul bémol
	branché/-e	in (sein), up to date
le	but	das Tor, der Treffer

C

le	capteur	der Sensor
la	circulation	der Verkehr
la	compétition	der Wettkampf
	conduire	lenken
	conçu/-e	entworfen
la	courgette	die Zucchini
le	coussin	das Kissen

D

	dangereux/dangereuse	gefährlich
	déçu/-e	enttäuscht
le	décollage	das Abheben, der Abflug
	décoller	(von der Startbahn) abheben
	démarrer	beginnen, in Gang kommen, starten
	dense	dicht
	dès aujourd'hui	von heute an, ab heute
	développé/-e	entwickelt
le	diamètre	der Durchmesser
le	doigt	der Finger

E

	effectuer	ausführen, vornehmen
	émergé/-e	herausragend
s'	empiler	sich stapeln
l'	environnement m	die Umgebung
l'	éolienne f	das Windrad
l'	équilibre m	das Gleichgewicht
	équipé/-e	ausgestattet
l'	espace m	der Weltraum
l'	exploration f	die Erforschung

F

les	fonds m pl	*hier:* die Tiefsee
	fou/folle	verrückt
la	foule	die Menschenmenge
	fournir	produzieren, liefern
la	fureur	die Furore
	faire fureur	*Aufsehen erregen, in Mode sein*

G

la	gamelle	der Sturz
	gare à …	*Vorsicht …*
	Gare aux gamelles!	*Vorsicht Sturzgefahr!*
	garder	behalten
	grimper	klettern

H

l'	habitant m	der Bewohner, der Einwohner
	humanoïde	menschenähnlich

I

l'	île f	die Insel
	immergé/-e	unter Wasser liegend
	imprenable	unverbaubar
	inégal/-e	uneben

L

la	législation	das Recht, die Gesetzgebung
le	légume	das Gemüse
le	lever de…	der … aufgang
le	lézard	die Eidechse
le	locataire	der Mieter
le	logement	die Unterkunft, die Wohnung
les	loisirs m pl	die Freizeit
la	Lune	der Mond

M

	maîtriser	beherrschen
le	monument	das Monument, das Bauwerk

N

	nécessaire	nötig
la	neige	der Schnee
la	nourriture	die Nahrung

O

	obéir	gehorchen
l'	ordre m	der Befehl

P

la	paroi	die Seitenwand, die Wand
le	pied	der Fuss
	à cloche pied	*auf einem Bein*
la	patte	die Pfote, die Tatze
le	pilier	der Pfeiler, die Stütze
	planer	schweben, gleiten
	Ça plane.	*Alles Spitze.*
le	pli	die Falte
	Ça ne fait pas un pli.	*Darauf kannst du wetten. Daran gibt's nichts zu rütteln.*
la	plongée	der Tauchsport
	posséder	besitzen
	pousser	wachsen
	propre	sauber
le	propriétaire	der Besitzer

Q

la	queue	das Heck, der Schwanz

R

	ramener vers l'avant	nach vorne klappen
la	randonnée	die Tour, die Wanderung
	ravitailler	mit etwas versorgen
la	recherche	die Forschung
	reconnaître	erkennen
	reconstitué/-e	wiederhergestellt
la	route	die Strasse
	ressusciter	wieder aufleben lassen

S

le	saut	der Sprung
le	secret	das Geheimnis
la	sensation	die Empfindung, das Gefühl
	serré/-e	eng
le	seul bémol	der einzige Haken, der einzige negative Aspekt
le	sous-marin	das Unterseeboot
	sous-marin/sous-marine	Unterwasser …
le	surface	die Oberfläche
	surveiller	überwachen

T

la	tartine	die Brotschnitte, das Butterbrot
la	terre	die Erde, der Boden
la	Terre	die Erde, die Welt
	toucher	berühren
	traîner	nachziehen

V

la	vente	der Verkauf
la	vie	das Leben
le	visage	das Gesicht
le	virage	die Kurve
la	vitesse	die Geschwindigkeit
	vivant/-e	lebendig
	volant/-e	fliegend
la	vue	die Aussicht

Solutions

Activité E pages 30 et 31

petit	6, 18, 22
petite	2, 11
grand	1, 4
grande	16, 20, 23
géant	12, 17
géante	5, 14
long	10, 15, 19
longue	8, 24
adhésif	13
adhésive	3
léger	9
légère	7, 21

bon	4, 10
bonne	1
impressionnant	8
impressionnante	2, 18
nouveau	12, 19
nouvelle	5, 17
premier	7, 13
première	16
passionnant	20
passionnante	6, 11
fou	3, 15
folle	9, 14

pliant	3, 19
pliante	1, 10
volant	7, 14
volante	5, 11
flottant	17
flottante	3, 13
sous-marin	8, 12
sous-marine	16
sportif	2
sportive	15, 20
intelligent	6
intelligente	9, 18

Activité H page 46

	Franglais		Français
1	le talk-show	**3**	le manche à balai
2	un airbag	**9**	une puce
3	le joystick	**6**	le mode de veille
4	le fast-food	**13**	le tir au but
5	surfer sur le net	**8**	le lait frappé
6	le stand-by	**2**	un coussin de sécurité
7	le baby-sitting	**12**	un grille-pain
8	le milk-shake	**14**	une planche à roulettes
9	un chip	**1**	l'émission-débat
10	un Post-it	**15**	hors jeu
11	un mountain bike	**5**	naviguer sur la toile
12	un toaster	**7**	la garde d'enfants
13	le penalty	**4**	la restauration rapide
14	un skateboard	**11**	un vélo tout terrain (VTT)
15	off-side	**10**	une colle note

Genève

In dieser Rubrik wirfst du noch einmal einen Blick auf das Bild des Ortes, den du auf deiner Reise durch den *parcours* durchquert hast.
Donc, tu jettes un coup d'œil à la photo aérienne de la carte de navigation.
Hast du den Ort erkannt? Hier erfährst du ein paar interessante Dinge darüber.

Genève est la plus grande ville de Suisse romande avec environ 200 000 habitants. Elle se situe tout à l'ouest de la Suisse, au bord du Lac Léman. Elle est mondialement connue pour son jet d'eau. C'est une ville internationale: on y trouve les Nations Unies et de nombreuses autres organisations internationales.

Genève accueille beaucoup de manifestations internationales dans son Palais des expositions, à Palexpo: le salon de l'auto, le salon du livre, le salon des inventions, le salon de la haute horlogerie, un concours hippique ou encore un Supercross.

Pour survoler cette ville impressionnante: vimeo.com/86976841

Audiotracks

Track	Texte
1.	Rue des étoiles (Chanson)
2.	Rue des étoiles (Instrumental)
3.	Expressions
4.	«Lilypad – un projet futuriste»
5.	«La partie émergée: vue imprenable sur l'océan»
6.	«La partie immergée: des logements pour les Lilypadiens»
7.	«Cultiver son jardin»
8.	«Fabriquer une énergie propre»
9.	Sport: «La folie Street surfer»
10.	Sport: «Ça plane en Hover scooter»
11.	Sport: «Accrobranche géant en mode Spider-Man»
12.	Sport: «Ski sur route»
13.	Vacances: «Un hôtel sous-marin futuriste»
14.	Vacances: «Hop, la valise intelligente»
15.	Vacances: «Des monuments vivants»
16.	Vacances: «Vol autour de la Lune»
17.	Voitures: «En route pour les grands fonds»
18.	Voitures: «On peut plier les autos»
19.	Voitures: «La voiture autonome»
20.	Voitures: «La voiture hélico»
21.	Robots: «Un astronaute à tout faire»
22.	Robots: «Rock stars trop branchées»
23.	Robots: «Le sport c'est bon… pour les robots»

Track	Texte
24.	Robots: «Le chien – mon compagnon»
25.	Adjectifs 1er groupe
26.	Adjectifs 2e groupe
27.	Adjectifs 3e groupe
28.	Adjectifs 4e groupe
29.	Adjectifs 5e groupe
30.	Noms – adjectifs 1er groupe
31.	Noms – adjectifs 3e groupe
32.	Noms – adjectifs 4e groupe
33.	Futuroscope – le jeu: «Aérocar»
34.	Futuroscope – le jeu: «Solar Drop»
35.	Futuroscope – le jeu: «Hydropolis»
36.	Futuroscope – le jeu: «Flying Bike»
37.	Futuroscope – le jeu: «Engkey»
38.	Futuroscope – le jeu: «Lilypad»
39.	Futuroscope – le jeu: «Sea Tree»
40.	Futuroscope – le jeu: «Glowing Plant»
41.	Fichier
42.	Expressions français – anglais
43.	Méli-mélo: Floating stadium
44.	Expressions en «franglais»
45.	Expressions en français
46.	Verbes en -ir et en -re: phrases
47.	Verbes en -ir et en -re: verbes terminaisons
48.	Verbes en -ir et en -re: verbes radicaux

Table des **matières**

Biz'Art?

Tu visites un musée d'art. Est-ce un musée comme les autres? Pas tout à fait. Dans le musée virtuel de ce magazine, il y a des tableaux étonnants, bizarres… Vous avez dit biz'Art?

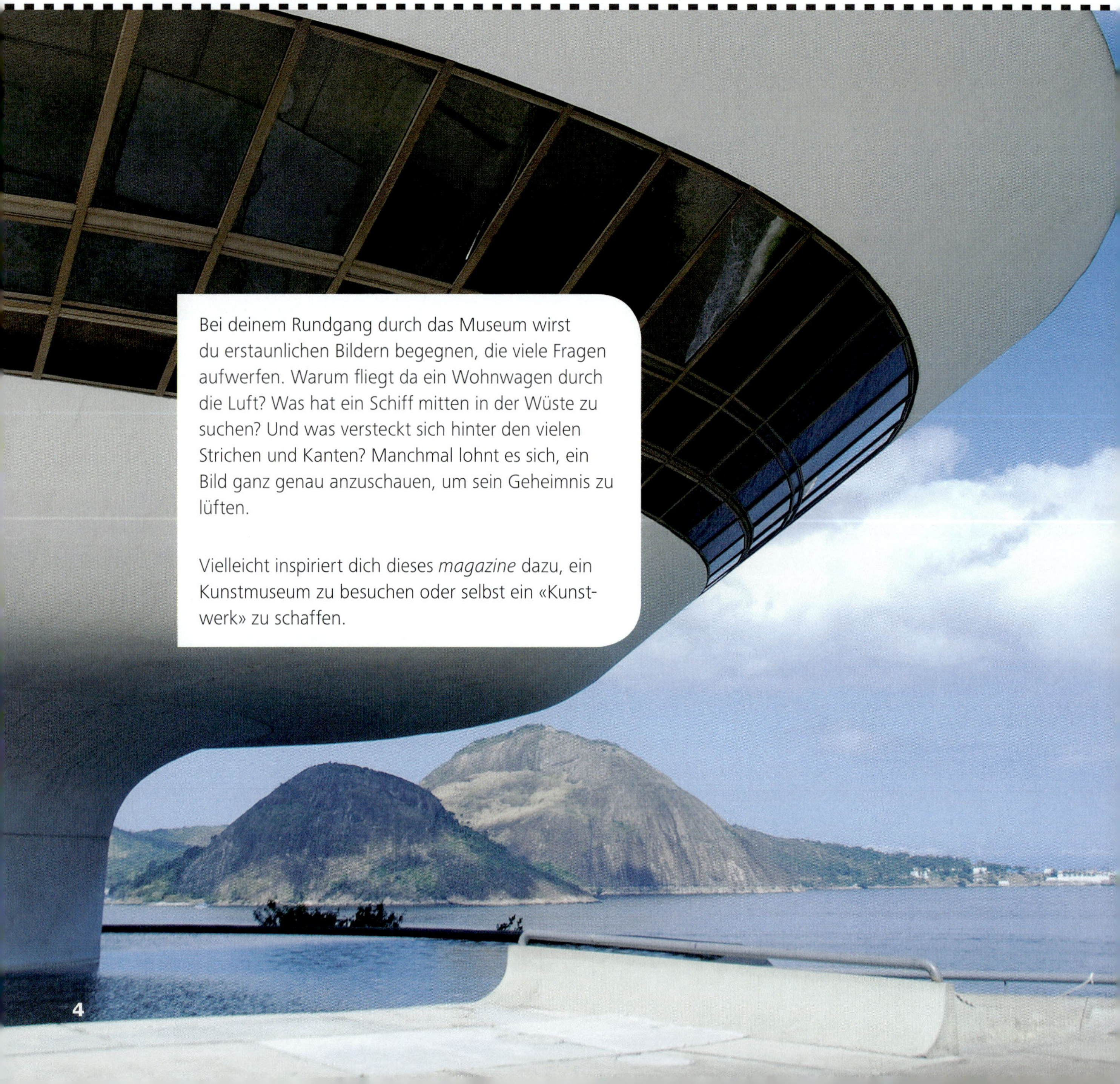

Bei deinem Rundgang durch das Museum wirst du erstaunlichen Bildern begegnen, die viele Fragen aufwerfen. Warum fliegt da ein Wohnwagen durch die Luft? Was hat ein Schiff mitten in der Wüste zu suchen? Und was versteckt sich hinter den vielen Strichen und Kanten? Manchmal lohnt es sich, ein Bild ganz genau anzuschauen, um sein Geheimnis zu lüften.

Vielleicht inspiriert dich dieses *magazine* dazu, ein Kunstmuseum zu besuchen oder selbst ein «Kunstwerk» zu schaffen.

Le gardien
de musée

> **Les Blaireaux** viennent du nord de la France, de la ville de Lille. C'est un groupe composé de six musiciens. Alex, au chant, raconte des petites histoires pleines d'humour.

Alexandre Lenoir - Pierre Marescaux
Les Blaireaux

1

REFRAIN (swing)

Si vous me cherchez,
Je suis toujours posté
Dans un coin de la salle des mythes antiques.
A côté de Vulcain
Contrit et contraint
De voir sa femme exposée en public:
Nue sous les zéphyrs
Belle à en mourir
Vénus ignore la foule des curieux.
Ah! Moi c'est pas pareil:
Il faut bien que je la surveille!
Je ne peux pas la quitter des yeux!

REFRAIN

Je suis René, le gardien de musée. Je surveille le fameux tableau de Botticelli qui montre la belle Vénus. Je suis tombé amoureux d'elle.

J'ai une collègue Fernande,
De la galerie allemande,
Qui vient me faire du gringue, pendant la pause:
René, pour les vacances
Il y a des vols pour Florence.
En plein soleil, ça doit être autre chose,
Non?
Je dis oui, mais sans plus,
Je pense à ma Vénus,
Dans sa coquille Saint-Jacques au bord de l'eau…
Je remets vite ma casquette,
J'écrase ma cigarette,
Et je retourne à mon quattrocento.

Je suis parti en vacances à Florence. Mais je pense tout le temps à ma Vénus. Alors je rentre vite à la maison.

De retour au musée, je reprends mon travail. Le soir, je mets les tableaux sous alarme. Même la fausse Vénus… La fausse? Eh oui, l'original, je l'admire chez moi.

REFRAIN

Quand 18 heures sonnent
Qu'il n'y a plus personne
Je mets mes dieux sous alarme infrarouge:
Vulcain est à sa place
Cupidon, Saint-Sébastien se tiennent à carreau,
Plus rien ne bouge.
Je finis ma ronde
Devant ma fausse blonde,
Je m'arrange comme je peux avec ma morale:
Tant que les gens s'extasient
Ah! Ce Botticelli!
A quoi bon rendre l'original?

DERNIER REFRAIN

Aperçu de la tâche

Audioguide

Tu choisis un tableau du musée et tu crées un audioguide. Pour cela, tu poses des questions, tu montres des détails, tu décris les couleurs et les formes... Tu peux aussi ajouter de la musique ou des bruitages. Est-ce que les visiteurs vont s'arrêter devant ton tableau?

Objectifs

Französisch hören, lesen, sprechen, schreiben
Ich kann Bildbeschreibungen verstehen, wenn mir Entschlüsselungshilfen zur Verfügung stehen.
Ich kann über ein Bild sprechen.
Ich kann in der Gruppe französisch sprechen.
Ich kann zu einem Bild einen Text schreiben und ihn vorlesen.
Ich kenne verschiedene Frageformen und kann Fragen stellen.

Bewusstheit für Sprachen und Kulturen
Ich kenne eine Künstlerin und ein Künstlerkollektiv aus der Suisse romande und weiss etwas über ihr künstlerisches Schaffen.

Lernstrategien
Ich kann in meinen Vortrag Fragen einbauen, um die Aufmerksamkeit der Zuhörerinnen und Zuhörer zu gewinnen.
Ich kann meine Einstellungen zum Lernen mit Hilfe der *revue* reflektieren.

Das habe ich auch noch gelernt

A
Visite au musée
Du besuchst das virtuelle Museum und entdeckst erstaunliche Bilder.

B
C'est un mirage?
Du schaust ein Bild von Salvador Dalí an und hörst den Audioguide.
› vorher zu bearbeiten: A

C
Etonnants, les tableaux?
Du gehst ins virtuelle Museum, wählst ein Bild und hörst den Audioguide.
› vorher zu bearbeiten: A B

D
Bleu ciel
Du sprichst über die Farben eines Bildes.
› vorher zu bearbeiten: A B C

Table solaire
Biblioteca
L'Empire des lumières
Le Portugais
Bleu de ciel

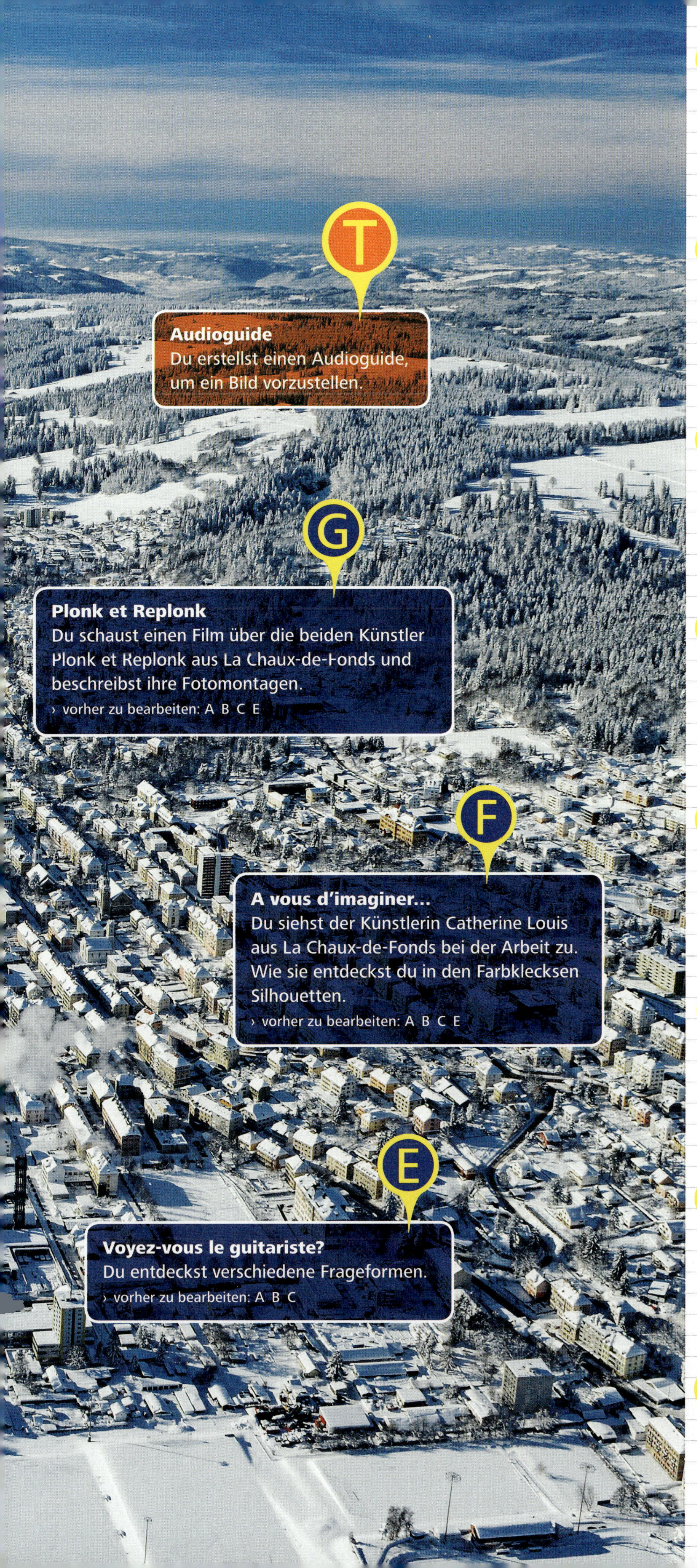

Audioguide
Du erstellst einen Audioguide, um ein Bild vorzustellen.

Plonk et Replonk
Du schaust einen Film über die beiden Künstler Plonk et Replonk aus La Chaux-de-Fonds und beschreibst ihre Fotomontagen.
› vorher zu bearbeiten: A B C E

A vous d'imaginer…
Du siehst der Künstlerin Catherine Louis aus La Chaux-de-Fonds bei der Arbeit zu. Wie sie entdeckst du in den Farbklecksen Silhouetten.
› vorher zu bearbeiten: A B C E

Voyez-vous le guitariste?
Du entdeckst verschiedene Frageformen.
› vorher zu bearbeiten: A B C

A

B

C

D

E

F

G

T

Table solaire

Salvador Dalí (1936)

C'est un **mirage?**

Où se déroule cette scène? Sur la plage? Dans le désert? Dans un café? Chez Salvador Dalí? 3–5 7

Au premier plan, un petit garçon observe la scène. Il n'a pas d'ombre. On a l'impression qu'il est découpé dans une feuille de papier. Qui est ce garçon?

Ce décor ressemble à un rêve.
Les bateaux, par exemple, sont tout à fait normaux, mais ils apparaissent dans un désert.

Dalí a peint la plage proche de sa maison, la table du café de son village, le sol de sa cuisine. Mais tous ensemble, ces éléments forment un paysage étrange.

D'où vient ce chameau?

S'est-il échappé du paquet de cigarettes près de l'enfant?

Biblioteca

Maria Elena Vieira da Silva (1966)

Bibliothèque...
ou ville vue du dessus?

S'agit-il de simples rectangles? 8–11

Mais non! Si on regarde bien, on peut y voir beaucoup de choses.

Des livres rangés sur des étagères par exemple. A droite on voit des journaux, à gauche on peut s'imaginer que ce sont de gros dictionnaires. D'où le titre «Biblioteca»!

Ou est-ce peut-être un atelier plein de boîtes? Et, qu'est-ce qu'il y a dans ces boîtes?

C'est aussi comme une ville.
«Biblioteca» ressemble à New York City vue du dessus. New York avec ses rues à angle droit et ses longues avenues. En haut à gauche on voit une zone verte. Est-ce peut-être Central Parc?
Et en blanc à droite l'East River, le fleuve qui traverse la ville?

Ou s'agit-il de Lisbonne, la ville natale du peintre?

Est-ce une ville ou une bibliothèque? Difficile à dire!

L'Empire des lumières

René Magritte (1954)

Pourquoi cette maison est-elle si étrange?

C'est une maison comme il en existe des millions. Une maison, un lampadaire, un arbre, une mare. A l'arrière-plan on voit une forêt. 12–15

Cet endroit pourrait être en Belgique, en France, en Allemagne, en Angleterre, en Suède…

Mais pourquoi cette maison est-elle si étrange?

Deux fenêtres sont allumées. Le lampadaire aussi. Il illumine une partie de la façade.
Le bas est dans le noir.

C'est la nuit. **La nuit vraiment?** Mais non! Ce n'est pas la nuit!

Le ciel est bleu clair et il y a des nuages blancs!

Voilà le secret de ce tableau: le bas est dans la nuit, le haut est en plein jour.

L'ombre de la nuit et la lumière du jour se mélangent. Quel mystère!

Le Portugais

Georges Braque (1912)

Voyez-vous le guitariste?

Que des formes et des lignes? 16–19

Regardez mieux.
On peut voir un homme assis. Il joue de la guitare. On voit le trou rond et les cordes de l'instrument vers le bas du tableau, au milieu. Le guitariste regarde vers notre gauche.

Regardez le titre du tableau: «Le Portugais».

Est-ce que le guitariste est un Portugais?

En haut on voit les lettres D et BAL en gris. Il s'agit peut-être d'une affiche sur laquelle est annoncé un granD BAL.

Est-ce qu'on est dans un bar – le bar où le guitariste joue tous les jours?

Alors, le voyez-vous maintenant, le guitariste?

Bleu de ciel

Vassily Kandinsky (1940)

Que sont ces **formes étranges?**

D'abord, c'est un fond bleu. Est-ce peut-être le ciel? ▶ 20–23

Sur ce fond dansent des formes colorées. S'agit-il de clowns ou de fous du roi avec des bonnets à clochettes?

Plusieurs de ces formes ont quatre pattes. Des animaux peut-être?

Certaines formes font penser à des oiseaux, d'autres à des poissons ou à des papillons.

Mais ce pourrait être aussi des bactéries, des microbes mille fois agrandis et observés au microscope.

C'est un monde de rêves?

«Bleu de ciel est un monde inconnu», nous dit le peintre.

Activité A

Visite au musée

Tu visites le musée virtuel où tu vois des tableaux étonnants.

Tu piges?

» Lisez les consignes de cette activité.
La revue peut vous aider à comprendre.

» Discutez ce qu'il faut faire.

Il faut...

Je pense qu'il faut...

D'abord, on doit...

Ensuite, il faut...

A la fin, on doit...

Il faut.../On doit...
visiter
se préparer
lire
écouter
retourner
échanger

Dans le musée virtuel, il y a 5 salles. On y trouve des tableaux et des films.

» Visitez le musée pour un premier aperçu.

visitez
besucht

» Préparez-vous à donner votre avis sur quelques tableaux.
Lisez et écoutez les bulles et les expressions. ▶ 2

retournez
kehrt zurück

» Retournez au musée. Echangez vos impressions sur les tableaux. ▶

Comment tu trouves ce tableau?

J'aime bien ce tableau.

J'aime moins ce tableau.

Je trouve qu'il est...

Il est...

Il a l'air...

C'est mon tableau préféré.

fascinant	
moderne	
extraordinaire	aussergewöhnlich
bizarre	seltsam, eigenartig
fou	verrückt
beau	schön
drôle	komisch, merkwürdig
magique	
étonnant	erstaunlich
étrange	seltsam, eigenartig
incroyable	unglaublich
fantastique	fantastisch, unwirklich
surprenant	überraschend
amusant	
passionnant	
futuriste	
pas mal	nicht schlecht
impressionnant	beeindruckend
irréel	irreal, unwirklich
…	

Moi aussi.

Moi pas.

Je suis d'accord avec toi.

Je ne suis pas d'accord avec toi.

As-tu envie de voir plus de tableaux?
» Visite le musée virtuel de google: www.googleartproject.com/fr

Activité **B**

C'est un **mirage?**

Tu regardes un tableau de Salvador Dalí. Tu écoutes l'audioguide.

D'où viennent le chameau et le bateau dans le tableau de Salvador Dalí?

» Regardez le tableau «Table solaire» à la page 10.

3–5 » Ecoutez la version courte de l'audioguide en français (F).
Vous pouvez aussi l'écouter en anglais (E) et en allemand (D).

6 » Lisez et écoutez le dialogue.

Où se déroule cette scène?

Elle se déroule peut-être...

...dans le désert
...dans la cuisine
...au bord de la mer
...dans un bistrot
...dans un café
...dans un rêve
...sur la plage
...

Qui est ce garçon?

C'est peut-être...

...un spectateur
...un fantôme
...un bédouin
...un voyageur
...

D'où vient ce chameau?

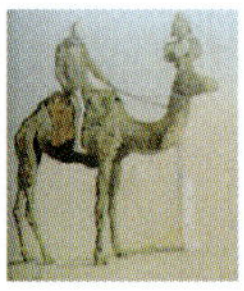

Il vient peut-être...

...du désert
...d'un zoo
...d'un rêve
...d'Arabie
...d'Asie
...

un mirage	eine Fata Morgana
se dérouler	sich abspielen
le désert	die Wüste
la cuisine	die Küche
un bistrot	eine Kneipe
la plage	der Strand
un spectateur	ein Betrachter, ein Zuschauer
un voyageur	ein Reisender
ce chameau	dieses Kamel

» Posez les questions et donnez des réponses.

Titres
Titel

Vocabulaire connu et mots parallèles
Bekannter Wortschatz und Parallelwörter

Deviner
Raten

Dictionnaires (en ligne)
(Online-)Wörterbücher

7

» Lisez et écoutez le texte à la page 11.
» Appliquez les stratégies.
» Utilisez le dictionnaire à la page 49.

Pourquoi est ce que cette image n'est pas réaliste?
» Echangez vos observations.

Des bateaux
Une table
Un sol de cuisine
Un paquet de cigarettes
Un garçon
Une plage
Un café
Un bistrot
Une cuisine
…

dans le désert
…

..., ça n'existe pas.

..., ce n'est pas réaliste.

..., c'est possible?

..., c'est bizarre.

C'est comme...

Ça me fait penser à...

un rêve
un mirage
un paysage irréel
un paysage de rêve
…

» Crée une œuvre surréaliste.
» Donne-lui un titre.

Activité C

Etonnants, les tableaux?

Tu vas au musée virtuel. Tu choisis un tableau et tu écoutes l'audioguide.

Des formes étranges? Un guitariste caché dans un tableau? Quelle galerie d'art insolite!

8–10 12–14 16–18 20–22

» Retournez au musée virtuel. Cherchez-y les tableaux des pages 12 à 19.
Ecoutez les versions courtes des audioguides en français (F).
Vous pouvez aussi les écouter en anglais (E) et en allemand (D).

» Choisissez un tableau. Notez le titre.

24

» Lisez et écoutez les questions.

- Que des formes et des lignes?
- S'agit-il de simples rectangles?
- Cette maison est-elle étrange?
- Des animaux peut-être?
- Que sont ces formes étranges?
- Est-ce peut-être un atelier plein de boîtes?
- Voyez-vous le guitariste?
- La nuit, vraiment?
- C'est un monde de rêves?
- Est-ce peut-être le ciel?
- Est-ce qu'on est dans un bar?
- Est-ce une ville ou une bibliothèque?

que des formes (f)	nur Formen
des rectangles (m)	Rechtecke
la maison	das Haus
étrange	seltsam, merkwürdig
la nuit	die Nacht
le ciel	der Himmel

» Quelles questions pouvez-vous poser à votre tableau?
» Marquez-les.
» Donnez des réponses.

- Je pense que c'est un/une…
- Je pense que oui.
- Je pense que ce sont des…
- Je pense que non.

Titres
Titel

Vocabulaire connu et mots parallèles
Bekannter Wortschatz und Parallelwörter

Deviner
Raten

Dictionnaires (en ligne)
(Online-)Wörterbücher

» Lisez et écoutez le texte du tableau choisi.
  » Appliquez les stratégies.
  » Utilisez le dictionnaire à la page 49.

11
15
19
23

» Préparez-vous à présenter le tableau.
  » Lisez et écoutez les bulles.
  » Notez quelques mots importants.

25

» Présentez le tableau à un autre groupe.

Le tableau montre un/une/des...

Il s'agit d'un/d'une...

On voit un/une/des...

Au premier plan, il y a...

A l'arrière-plan, on voit...

En haut, il y a...

En bas, on voit...

A gauche, on voit...

A droite, il y a...

le tableau montre	das Bild zeigt
au premier plan	im Vordergrund
à l'arrière-plan	im Hintergrund
en haut	oben
en bas	unten
à gauche	links
à droite	rechts

» Choisis un autre tableau. Lis et écoute le texte.

Activité **D**

Bleu **ciel**

Tu parles des couleurs d'un tableau.

26

» Lisez et écoutez les noms des couleurs.

» Ajoutez d'autres noms couleurs.

bleu – bleue
Adjektive passen sich in Geschlecht und Zahl dem Nomen an.
- un jean **bleu**
- une veste **bleue**

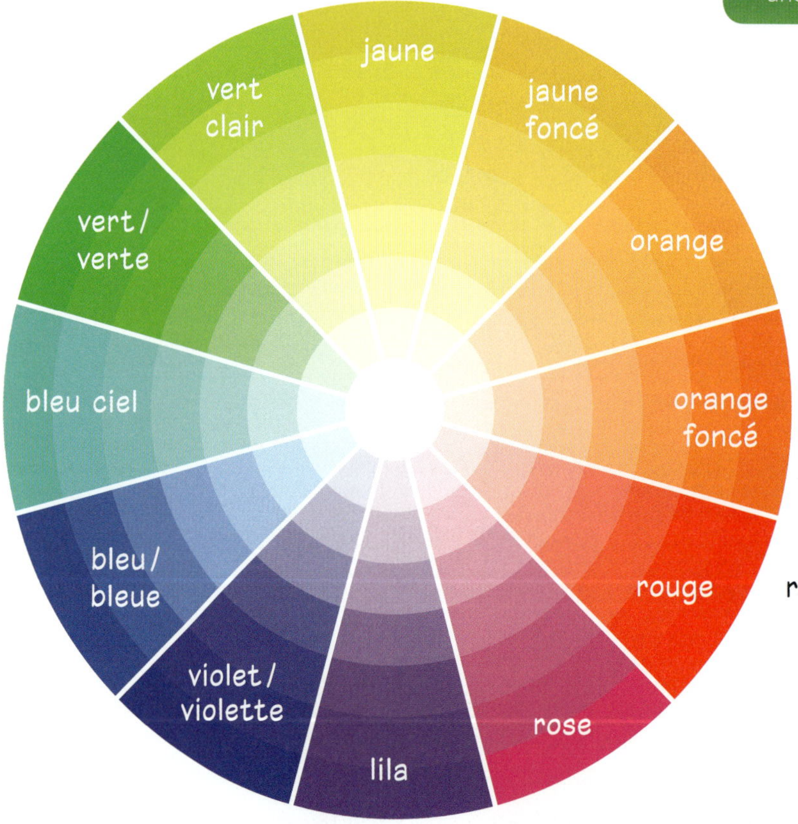

brun foncé
Zusammengesetzte Adjektive sind unveränderlich.
- une veste **brun foncé**

Vous avez vu le tabelau «Bleu de ciel» à la page 18.
Dans son livre «Kunst aufräumen», Ursus Wehrli a rangé les formes d'après les couleurs.
» Regardez le résultat.

Ursus Wehrli a fait la même chose avec un tableau de l'artiste Keith Haring.
Dans ce tableau, il y a 14 formes orange foncé et 10 formes bleues.
» Complète la grille sans compter.

	30
	28
	28
	25
	20
	18
orange foncé	14
	12
	11
bleu	10

» Echangez vos notes.

A mon avis, il y a moins de formes...

Je pense qu'il y a... formes...

A mon avis, il y a plus de formes...

» Regardez les solutions à la page 50.

Activité **D**

» Dessinez à tour de rôle une forme du tableau.
De quelle forme du tableau s'agit-il ?
» Devinez la couleur.
» Devinez où elle se trouve.
» Montrez-la.

C'est une forme...?

rouge
orange foncé
...

Oui.

Non.

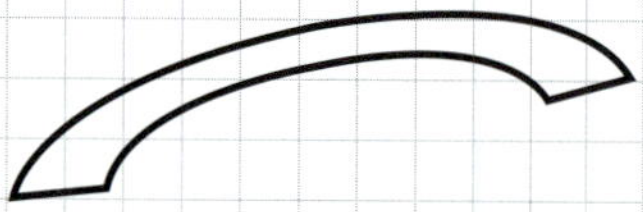

Elle est...?

C'est cette forme-là?

au milieu	in der Mitte
en haut	oben
en bas	unten
à gauche	links
à droite	rechts

27

Les langues utilisent souvent des images pour exprimer les nuances de couleurs.
» Lis et écoute les noms français.

Quelles images est-ce qu'on utilise en allemand ou dans d'autres langues?

rouge tomate

rouge feu

rose bonbon

rouge bordeaux

rouge cerise

le feu	das Feuer
la cerise	die Kirsche
le saumon	der Lachs
la noisette	die Haselnuss

brun noisette

rose saumon

brun chocolat

brun caramel

gris souris

gris perle

gris

▶ 28

le canard	die Ente
le ciel	der Himmel

bleu canard

bleu

bleu marine

bleu ciel

jaune canari

jaune paille

jaune citron

jaune

jaune banane

jaune moutarde

vert bouteille

vert épinard

vert

vert olive

menthe

vert avocat

vert pomme

le canari	der Kanarienvogel
la paille	das Stroh
la moutarde	der Senf
la bouteille	die Flasche
l'épinard (m)	der Spinat
la pomme	der Apfel

Activité **E**

Voyez-vous **le guitariste?**

Tu découvres différentes formes pour poser des questions.

29 » Lis et écoute les questions.

Vous voyez le guitariste?
Est-ce que vous voyez le guitariste?
Voyez-vous le guitariste?

On est dans un bar?
Est-ce qu' on est dans un bar?
Est-on dans un bar?

Il s'agit d'une affiche?
Est-ce qu' il s'agit d'une affiche?
S'agit-il d'une affiche?

C' est un homme?
Est-ce que c' est un homme?
Est-ce un homme?

» Note tes observations.

On utilise...
la 1re forme surtout à l'oral
Vous voyez...?
la 2e forme à l'oral et à l'écrit
Est-ce que vous voyez...?
la 3e forme surtout à l'écrit
Voyez-vous...?

» Echangez vos observations.

» Présentez vos résultats en classe.

» Choisissez quelques questions. Mettez-les dans une autre forme.

Il s'agit de Lisbonne?

On voit un parc?

Tu vois les boîtes?

On est dans un atelier?

C' est une bibliothèque?

C' est une ville?

Vous voyez les livres?

Il s'agit de dictionnaires?

S'agit-il de dictionnaires?

Est-ce que c'est une ville?

» Regardez les solutions à la page 50.

» Mettez les questions à la page 37 dans d'autres formes.
» Regardez les solutions à la page 50.

Activité **E**

30

» Lis et écoute les questions. Analyse la 3e forme.

Le ciel est bleu clair?
Est-ce que le ciel est bleu clair?
Le ciel est-il bleu clair?

Cette maison est étrange?
Est-ce que cette maison est étrange?
Cette maison est-elle étrange?

» Note la 3e forme.

Le guitariste est un Portugais?
Est-ce que le guitariste est un Portugais?

____

» Explique la 3e forme à un/une partenaire.

31

» Lisez et écoutez les questions.

D'où vient ce chameau?
Où se déroule cette scène?
Que sont ces formes étranges?
Qui est ce garçon?
Pourquoi cette maison est-elle si étrange?

les mots interrogatifs
die Fragewörter

» Marquez les mots interrogatifs.

» Notez les mots interrogatifs en français et en allemand.

D'où Woher

Connaissez-vous d'autres mots interrogatifs?
» Notez-les.

» Note tes découvertes sur les questions dans la revue.

Le Musée **Magritte à Bruxelles**

René Magritte est un peintre très célèbre. L'artiste a passé une grande partie de sa vie à Bruxelles. Aujourd'hui, le Musée Magritte réunit plus de 200 œuvres du peintre surréaliste.

Pendant les travaux de rénovation, le bâtiment était caché derrière une gigantesque bâche de 21 mètres de haut et de 75 mètres de large. Elle montrait le tableau «L'Empire des lumières», encadré par des rideaux en trompe l'œil.

Tu trouves un film amusant sur le site www.bruxelles.be/artdet.cfm/5428, sous «Top 4 des chefs-d'œuvre à ne pas manquer».

Activité **F**

A vous d'imaginer...

Tu vois l'artiste peintre Catherine Louis de La Chaux-de-Fonds au travail. Comme elle, tu découvres des silhouettes dans des taches de peinture.

» Regardez l'extrait du film.

» Regardez les taches.
Vous pouvez tourner la feuille comme Catherine Louis.
Qu'est-ce que vous voyez?

des taches
Kleckse, Flecken

32

» Lisez et écoutez le dialogue.

Qu'est-ce que c'est?

C'est peut-être un escargot?

Ou s'agit-il d'un oiseau?

Est-ce vraiment un animal?

Tu ne crois pas?

C'est plutôt une personne.

Un monsieur peut-être?

Oui. Il a un chapeau.

Est-ce que c'est le nez?

C'est possible.
Et ça, qu'est-ce que c'est?

Il s'agit peut-être d'un / d'une...

...?

» Continuez le dialogue.

» Retournez au musée virtuel et regardez le film complet sur Catherine Louis.

» Essaie la technique des taches.

Activité **G**

Plonk et Replonk

Tu regardes un film sur les artistes Plonk et Replonk de La Chaux-de-Fonds. Tu décris leurs photomontages.

» Regardez l'extrait du film.

33 » Lisez et écoutez les commentaires sur la carte postale «La face cachée du lac Léman».

» Lis et écoute les expressions.

34–35

Ça se passe à / en…?	Spielt sich das in … ab?
Est-ce qu'on est à / en…?	Ist man in …?
Qu'est-ce que c'est?	Was ist das?
S'agit-il d'un / d'une…?	Handelt es sich um …?
Est-ce…	Ist es …
peut-être un / une…?	vielleicht …?
vraiment un / une…?	wirklich …?
Voyez-vous le / la / les…?	Seht ihr …?
On voit un / une / des…	Man sieht …
Ça fait penser à un / une / des…	Das erinnert an …
C'est possible?	Ist das möglich?
C'est difficile à dire.	Das ist schwer zu sagen.
Au premier plan, il y a un / une / des…	Im Vordergrund hat es …
A l'arrière-plan, on voit un / une / des…	Im Hintergrund sieht man …
Au milieu,…	In der Mitte …
En haut,…	Oben …
En bas,…	Unten …
A gauche,…	Links …
A droite,…	Rechts …
C'est…	Das ist …
étrange	seltsam, eigenartig
bizarre	seltsam, eigenartig
incroyable	unglaublich
…est…	… ist …
bleu / bleue	blau
bleu clair	hellblau
bleu foncé	dunkelblau
rouge	rot
jaune	gelb
vert / verte	grün
brun / brune	braun
blanc / blanche	weiss
noir / noire	schwarz
Le tableau montre…	Das Bild zeigt …
La photo montre…	Das Foto zeigt …
Le titre de ce tableau est «…».	Der Titel dieses Bildes ist «…».

difficile
difficult

possible
possible

étrange
strange

bleu
blue

incroyable
incredible

le titre
the title

la photo
the photo

» Choisis d'autres expressions pour ton vocabulaire personnel. Note-les dans la revue.

Pour mémoriser et appliquer les expressions:
» Entraîne-toi à l'ordinateur.
» Joue au jeu de cartes.
Tu trouves les consignes à la page 38.

A l'ordinateur

» Entraîne-toi à utiliser les expressions.

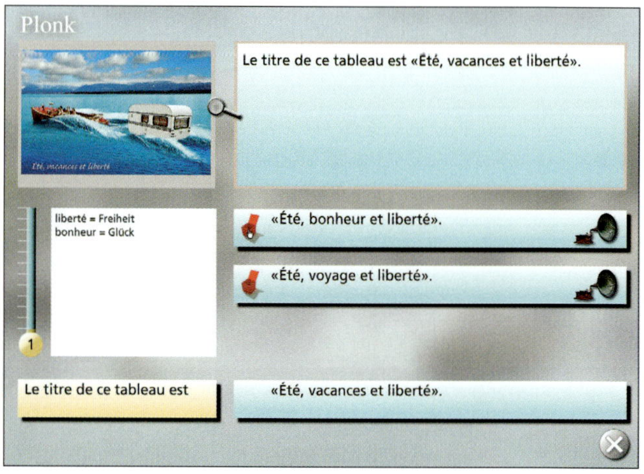

» Jouez au jeu. Lisez les phrases et discutez.

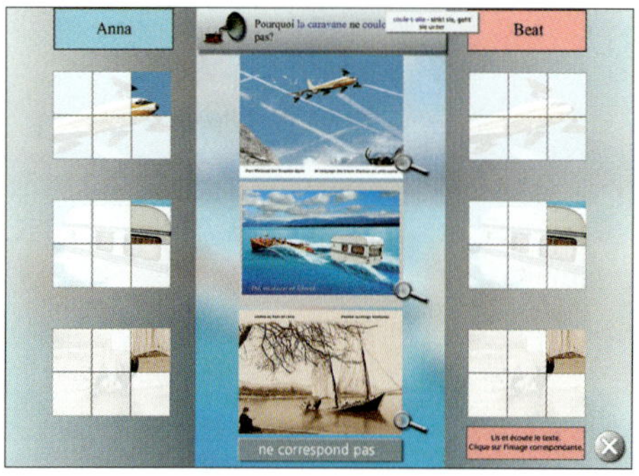

«...» ça va avec la carte «une».

Non, c'est faux.

Si, regarde ici!

Ah oui, c'est juste.

D'accord!

Ça ne correspond pas.

Jeu de cartes

» Ecrivez des cartes et jouez au jeu.

» Décris les cartes postales aux pages 40 et 41.
Utilise les expressions de la page 37.
Tu écris…
- des phrases qui vont avec plusieurs cartes postales.
- des phrases qui vont seulement avec une carte postale.
- au moins 12 phrases.

Regarde les critères à la page 48.
Fais un brouillon.

à
à Genève

à la
à la campagne auf dem Land

au
au bord du lac
au printemps

en
en Suisse
en été
en hiver

devant	vor
derrière	hinter
sur	auf
sous	unter
dans	in
à côté de	neben

Relecture
Gegenlesen

» Echangez vos brouillons. Donnez un feedback.

» Copie chaque phrase sur une carte de jeu.
Ecris ton prénom en bas à droîte.

» Mettez toutes les cartes du groupe sur une pile.

» Lisez les règles du jeu à la page 42.

Activité **G**

Commence.

C'est ton tour.

Pas de chance!

Jette le dé.

Pioche une carte.

Lis plus fort, s'il te plaît.

Lis la phrase.

Répète, s'il te plaît.

Aide-moi, s'il te plaît.

Qu'est-ce que ça veut dire?

Qu'est-ce que tu as écrit?

Qu'est-ce que c'est en allemand?

Oui, c'est juste.

Non, c'est faux.

Pose la carte.

Reprends ta carte.

Continue.

Je n'ai plus de cartes.

J'ai gagné.

Activité G

» Clarifiez les règles du jeu dans le groupe.

Règles du jeu

Matériel
- une pile de cartes
- 3 cartes par joueur
- un magazine ouvert aux pages 40 à 41
- un dé

Règles

» **A** Jette le dé. Le chiffre désigne la carte postale.
A Contrôle si une de tes cartes va avec la carte postale.
Non: **A** Pioche une carte.
Oui: **A** Lis la phrase.
B/**C** Contrôlez.

Juste: **A** Pose la carte
Faux: **A** Reprends ta carte.

» **B** Jette le dé…

Gagné
Le premier / La première qui n'a plus de cartes.

» Regardez les critères à la page 48.

» Jouez au jeu de cartes.

» Fais une auto-évaluation à l'aide de la grille à la page 48.

une auto-évaluation
eine Selbsteinschätzung

» Echangez et discutez vos résultats de l'auto-évaluation.

» Retournez au musée virtuel et regardez le film complet sur Plonk et Replonk.

» Essaie la technique des photomontages.

Audioguide

Tu crées un audioguide pour présenter un tableau.

Votre salle de classe devient un musée d'art.

» Regardez les critères et la stratégie.

Capter l'attention par des questions
Aufmerksamkeit durch Fragen gewinnen

Baue Fragen in deinen Vortrag ein, damit dir das Publikum seine Aufmerksamkeit schenkt.

Les critères

- Dein Audioguide enthält viele Informationen zum Bild. Du machst auf Details aufmerksam.
- Du verwendest in deinem Text Fragen.
- Der Wortschatz, den du verwendest, ist passend und abwechslungsreich.
- Du verwendest den Klassenwortschatz korrekt. Die Fragen sind richtig gebildet.
- Du liest den Text flüssig und ausdrucksstark vor. Die Aussprache ist korrekt.
- Dein Audioguide ist ansprechend gestaltet. Du setzt passende Geräusche oder stimmungsvolle Musik ein.

» Choisissez un tableau au musée virtuel.

Ecrire le texte de l'audioguide

» Regardez bien le tableau.

» Ecrivez un brouillon pour l'audioguide.
Vous pouvez décrire les couleurs, les formes, les objets, les personnages, etc.
Posez les questions qui vous passent par la tête.

Tâche

» Echangez vos brouillons avec un autre groupe et proposez des corrections.

Conférence de rédaction
Schreibkonferenz

» Retravaillez votre texte. Ecrivez la version définitive.

» Créez une boîte de traduction pour les visiteurs du musée. Ecrivez les expressions sur une feuille.

Faciliter la compréhension du texte
Entschlüsselungshilfen zur Verfügung stellen

Tâche

Lire l'audioguide

» Préparez la lecture.
  » Répartissez le texte.
  » Lisez vos parties plusieurs fois à haute voix et de façon vivante. Corrigez-vous.

Enregistrer l'audioguide

» Préparez l'enregistrement.
Vous pouvez ajouter des bruitages ou de la musique à l'audioguide.

» Enregistrez l'audioguide.

enregistrez
nehmt auf

Visiter le musée d'art

» Visitez votre «musée d'art», regardez les tableaux et écoutez les audioguides des autres.

Zoom

Hat dich die Arbeit der Künstlerin und der beiden Künstler aus La Chaux-de-Fonds inspiriert, selber künstlerisch tätig zu werden? Möchtest du weitere virtuelle oder reelle Museen besuchen, Bilder betrachten, Audioguides hören und dabei noch mehr Künstlerinnen und Künstler kennenlernen?

Ich kenne eine Künstlerin und ein Künstlerkollektiv aus der Suisse romande und weiss etwas über ihr künstlerisches Schaffen.

Ich kann in einen Vortrag Fragen einbauen, um die Aufmerksamkeit der Zuhörerinnen und Zuhörer zu gewinnen.

Diese Strategie kannst du auf andere Situationen übertragen. Bei welchen Gelegenheiten kannst du sie in nächster Zeit anwenden?

Trage deine Werte auf dem Barometer in der *revue* auf Seite 27 ein. Halte fest, was du dir vornimmst.

Ich kann meine Einstellungen zum Lernen mit Hilfe der *revue* reflektieren.

Meine Einstellungen
zum Lernen

selten — oft

Ich nutze Gelegenheiten, um französisch zu sprechen.

Ich nutze fakultative Angebote.

Ich traue mir beim Sprechen und Schreiben viel zu und gehe das Risiko ein, Fehler zu machen.

Ich nutze Fehler, um weiterzulernen.

Ich arbeite mit anderen zusammen.

Ich hole bei anderen Hilfe.

Meine Mitschülerinnen und Mitschüler korrigiere ich freundlich.

Ich nutze Rückmeldungen und Beurteilungen von Mitschülerinnen und Mitschülern als Chance zum Weiterlernen.

Ich frage nach, wenn ich etwas nicht verstanden habe.

Wenn mir etwas nicht gelingt, versuche ich es noch einmal.

Ich nutze auch ausserhalb der Schule französische Materialien und Medien wie Zeitschriften, Bücher, Videos, Spiele, Fernsehen, Radio, Internet …

Das nehme ich mir vor

Grilles d'évaluation

Activité G page 39

Bilder beschreiben	++	+	+/–	–
Du gibst unterschiedliche Informationen zu den Bildern. Du machst auf Details aufmerksam.				
Du verwendest den Klassenwortschatz korrekt.				

Activité G page 42

Beim Spielen französisch sprechen	++	+	+/–	–
Du sprichst mit deinen Mitschülerinnen und Mitschülern während des Spiels fast ausschliesslich französisch.				
Du nutzt viele Gelegenheiten. Du hilfst, das Gespräch in Gang zu halten. Du fragst nach, wenn du etwas nicht verstehst. Du hilfst den anderen.				
Deine Beiträge sind passend und richtig.				

Tâche pages 43 à 46

Punkte	**4**	**3**	**2**	**1**	**0**
Inhalt Informationen	Dein Audioguide enthält sehr viele Informationen zum Bild. Du machst auf zahlreiche Details aufmerksam. ❐	Dein Audioguide enthält viele Informationen zum Bild. Du machst auf mehrere Details aufmerksam. ❐	Dein Audioguide enthält mehrere Informationen zum Bild. Du machst auf einige Details aufmerksam. ❐	Dein Audioguide enthält wenige Informationen zum Bild. Du machst kaum auf Details aufmerksam. ❐	❐
Fragen		Du verwendest in deinem Text viele Fragen. ❐	Du verwendest in deinem Text mehrere Fragen. ❐	Du verwendest in deinem Text eine Frage. ❐	❐
Sprache Wortschatz	Der Wortschatz, den du verwendest, ist passend und sehr abwechslungsreich. ❐	Der Wortschatz, den du verwendest, ist meist passend und abwechslungsreich. ❐	Der Wortschatz, den du verwendest, ist nur teilweise passend und wenig abwechslungsreich. ❐	Der Wortschatz, den du verwendest, ist oft unpassend und wiederholt sich häufig. ❐	❐
Klassenwortschatz und Fragen		Du verwendest den Klassenwortschatz korrekt. Die Fragen sind richtig gebildet. ❐	Du verwendest den Klassenwortschatz mehrheitlich korrekt. Die meisten Fragen sind richtig gebildet. ❐	Du verwendest nur wenige Satzstrukturen und Ausdrücke des Klassenwortschatzes korrekt. Die Fragen sind selten richtig gebildet. ❐	❐
Aussprache und Flüssigkeit		Du liest den Text flüssig und ausdrucksstark vor. Die Aussprache ist korrekt. ❐	Du liest den Text ziemlich flüssig und stellenweise ausdrucksstark vor. Die Aussprache ist teilweise korrekt. ❐	Du liest den Text stockend und monoton vor. Die Aussprache ist oft nicht korrekt. ❐	❐
Gestaltung			Dein Audioguide ist ansprechend gestaltet. Du setzt passende Geräusche oder stimmungsvolle Musik ein. ❐		❐

A

agrandir	vergrössern
allumé/-e	erhellt, angezündet
l' angle m	der Winkel
un angle droit	*ein rechter Winkel*
apparaître	auftreten / erscheinen
ils apparaissent	*sie erscheinen*
à l'arrière plan	im Hintergrund
au milieu	in der Mitte
au premier-plan	im Vordergrund

B

le bas	der untere Teil
en bas	unten
le bateau	das Schiff
la boîte	die Schachtel
le bonnet	die Mütze
le bonnet à clochettes	*die Glöckchenmütze*

C

la corde	die Saite
le ciel	der Himmel

E

s' échapper	entsteigen, entfliehen
l' endroit m	der Ort
l' étagère f	das Regal
étrange	seltsam, merkwürdig, eigenartig

F

le fleuve	der Fluss
le fond	der Hintergrund
le fôret	der Wald
le fou du roi	der Hofnarr

G

à gauche	links

H

en haut	oben
l' homme m	der Mann

I

illuminer	beleuchten
inconnu/-e	unbekannt

J

le jour	der Tag
le journal (pl: journaux)	die Zeitung

M

la mare	der Teich, der Tümpel
le mirage	die Fata Morgana
le mystère	das Geheimnis, das Rätsel

N

natal/-e	Heimat…, Geburts…
la ville natale	*die Geburtsstadt*
noir/-e	schwarz
le nuage	die Wolke
la nuit	die Nacht

O

l' ombre f	der Schatten

P

le papillon	der Schmetterling
la patte	die Pfote
le paysage	die Landschaft
le peinture	der Maler
proche	nahe

R

le rectangle	das Rechteck

S

le secret	das Geheimnis
le sol	der Fussboden

T

le trou	hier: die Öffnung (das Loch)

Solutions

Activité D page 27

jaune	30
rose	28
violet	28
vert clair	25
rouge	20
blanc	18
orange foncé	14
orange clair	12
vert foncé	11
bleu	10

Activité E page 31

Est-ce qu'il s'agit de Lisbonne?
Est-ce qu'on voit un parc?
Est-ce que tu vois les boîtes?
Est-ce qu'on est dans un atelier?
Est-ce que c'est une bibliothèque?
Est-ce que c'est une ville?
Est-ce que vous voyez les livres?

S'agit-il de Lisbonne?
Voit-on un parc?
Vois-tu les boîtes?
Est-on dans un atelier?
Est-ce une bibliothèque?
Est-ce une ville?
Voyez-vous les livres?

Ça se passe à/en...?	Est-ce que ça se passe à/en...?	Ça se passe-t-il à/en...?
On est à/en...?	Est-ce qu'on est à/en...?	Est-on à/en...?
Il s'agit d'un/d'une...?	Est-ce qu'il s'agit d'un/d'une...?	S'agit-il d'un/d'une...?
C'est peut-être un/une...?	Est-ce que c'est peut-être un/une...?	Est-ce peut-être un/une...?
C'est vraiment un/une...?	Est-ce que c'est vraiment un/une...?	Est-ce vraiment un/une...?
Vous voyez le/la...?	Est-ce que vous voyez le/la/les...?	Voyez-vous le/la...?
C'est possible...?	Est-ce que c'est possible?	Est-ce possible...?

La Chaux-de-Fonds

La Chaux-de-Fonds est une ville du canton de Neuchâtel. Elle se trouve à 10 km de la frontière avec la France, dans le Jura à 1000 m d'altitude. C'est la ville la plus haute de Suisse.

En 1794, un incendie détruit le centre-ville.
On reconstruit La Chaux-de-Fonds selon un plan très particulier. Le plan est idéal pour cette ville où presque tous les habitants travaillent dans l'horlogerie: les nouvelles rues se coupent à angle droit et sont très larges.
Ainsi, beaucoup de lumière entre dans les ateliers des horlogers et la largeur des rues simplifie le déneigement en hiver.

Depuis 2009, La Chaux-de-Fonds est inscrite avec sa ville voisine Le Locle au patrimoine mondial de l'UNESCO pour son «urbanisme horloger».

Plus d'informations sur La Chaux-de-Fonds:

…sur Internet:
www.ville-de-la-chaux-de-fonds.ch
www.urbanisme-horloger.ch
www.unesco-destination-schweiz.ch/index.php/fr

…dans les livres de Catherine Louis et Marie-Anne Diderjean, Editions G d'Encre:
Allons voir La Chaux-de-Fonds (2009), pour adultes
Viens voir La Chaux-de-Fonds (2010), pour jeune public

Audiotracks

Track	Texte
1.	Le gardien de musée (Chanson)
2.	Bulles et expressions: Visite au musée
3.	«Table solaire», français court
4.	«Table solaire», anglais court
5.	«Table solaire», allemand court
6.	Dialogue sur le tableau «Table solaire»
7.	«Table solaire», français long
8.	«Biblioteca», français court
9.	«Biblioteca», anglais court
10.	«Biblioteca», allemand court
11.	«Biblioteca», français long
12.	«L'Empire des lumières», français court
13.	«L'Empire des lumières», anglais court
14.	«L'Empire des lumières», allemand court
15.	«L'Empire des lumières», français long
16.	«Le Portugais», français court
17.	«Le Portugais», anglais court
18.	«Le Portugais», allemand court

Track	Texte
19.	«Le Portugais», français long
20.	«Bleu de ciel», français court
21.	«Bleu de ciel», anglais court
22.	«Bleu de ciel», allemand court
23.	«Bleu de ciel», français long
24.	Questions: Etonnants, les tableaux!
25.	Bulles et expressions: Etonnants, les tableaux!
26.	Couleurs en français: 1re partie
27.	Couleurs en français: 2e partie
28.	Couleurs en français: 3e partie
29.	Voyez-vous le guitariste? 1re partie
30.	Voyez-vous le guitariste? 2e partie
31.	Voyez-vous le guitariste? 3e partie
32.	Dialogue sur les taches
33.	Commentaires sur «La face cachée du lac Léman»
34.	Fichier
35.	Expressions français-anglais

Table des **matières**

Si ça **vous chante!**

Des chansons te plongent dans l'univers de la musique. Elles sont à couper le souffle, qu'elles soient chantées ou rappées, mélodieuses ou rythmées. Elles parlent de la danse, de la musique, du chant ou elles racontent des histoires extraordinaires.

Paris – ville lumière et source d'inspiration pour de nombreux artistes. Leurs chansons te servent de guide pour y découvrir des curiosités et des particularités. Certains disent que c'est la plus belle ville du monde… Ça te chante?

Melodien, Rhythmen, Klänge und Chansons begleiten dich durch das ganze *magazine.* Die Geschichten, die in den Chansons erzählt werden, können dich inspirieren, wenn du selber zur Feder greifst.

Vielleicht lässt dich die eine oder andere Melodie gar nicht mehr los…

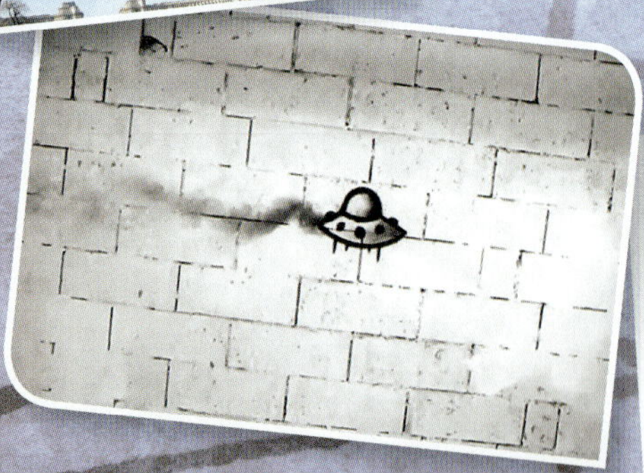

Nuit **de folie**

Version originale en mi bémol mineur

Début de soirée

Y'a pas de saison pour que vive la musique
Au fond pas de saison pour que vive le son
En marchant tu donnes une cadence à tes pas
Tu sens la musique au bout de tes doigts

Tu dis que la vie qu'on t'a donnée est faite pour ça
Tant de choses grâce au son tu connaîtras
Ton cœur est un saphir de pick-up
On a trouvé des décibels dans ton check-up

REFRAIN

Tu danses le monde musique américaine
La cadence du funk au plus haut t'emmène
Le tempo en délire si ce soir il fait chaud
C'est qu'on monte nos mains vers le point le plus haut

REFRAIN

Toi qui dessines au fond de ton ennui les notes d'une mélodie
Une musique sans accord majeur c'est une piste sans danseur
Mais si tu ranges dans ces moments-là dans un placard tes idées noires
Les notes pourront se danser et nous reviendrons les chanter

Quand le sucre est tombé, choc, le café renversé
Je sentais bien que la journée était mal commencée
Plus tard la caisse était cassée avant que craquent les chromes
Mettant la gomme, j'avais détalé

La musique était mon sourire les vieux succès les souvenirs
On sort tous son dernier soupir lorsqu'on va mourir
Mais un souffle j'avais gardé car on ne peut pas trépasser
Chacun le sait sans voir un disque jockey

Et tu chantes danses jusqu'au bout de la nuit
Tes flashes en musique funky
Y'a la basse qui frappe et la guitare qui choque
Et y'a le batteur qui s'éclate et toi qui tiens le choc

REFRAIN

Début de soirée est un duo composé de Sacha Goëller, directeur d'une radio à Marseille, et William Picard, DJ dans un club de la région d'Aix-en-Provence.

Le groupe a connu un énorme succès en 1988 avec le titre «Nuit de folie». En tant que DJ, ils animaient des soirées en discothèques au sud de la France.

Alors **on danse**

2

Stromae

Alors on d… (3×)

Qui dit études dit travail, qui dit taf te dit les thunes
Qui dit argent dit dépenses et qui dit crédit dit créance
Qui dit dette te dit huissier et lui dit assis dans la merde
Qui dit amour dit les gosses, dit toujours et dit divorce
Qui dit proches te dit deuils car les problèmes ne viennent pas seuls
Qui dit crise te dit monde et dit famine dit tiers-monde
Qui dit fatigue dit réveil encore sourd de la veille
Alors on sort pour oublier tous les problèmes

Alors on danse (9×)

Et là tu t'dis que c'est fini car pire que ça ce serait la mort
Quand tu crois enfin que tu t'en sors quand y en a plus et ben y en a encore
Ecstasy tous les problèmes les problèmes ou bien la musique
Ça t'prend les tripes ça t'prend la tête et puis tu pries pour que ça s'arrête
Mais c'est ton corps c'est pas le ciel alors tu t'bouches plus les oreilles
Et là tu cries encore plus fort et ça persiste

Alors on chante
Lalalalalala, Lalalalalala
Alors on chante
Lalalalalala, Lalalalalala
Alors on chante (2×)

Stromae

Paul Van Haver est né en 1985 dans la région de Bruxelles. Sa mère est belge et son père rwandais.

Il n'a pas encore 18 ans quand il adopte son nom d'artiste. Stromae veut dire maestro en verlan.

En 2010, «Alors on danse» fait fureur en Belgique, en France, en Allemagne, en Suisse et au Québec. D'autres tubes comme «Papaoutai» ou «Formidable» font de Stromae une star mondiale.

Irma a interprété cette chanson d'une façon différente.
Le clip se trouve sur le CD.

Irma Pany est née le 15 juillet 1988 à Douala (Cameroun).

A l'âge de 7 ans, elle commence le piano classique. Plus tard, elle apprend seule à jouer de la guitare et compose ses premières chansons. A l'âge de 15 ans, Irma arrive à Paris pour faire des études.

Irma chante dans un groupe de rock. En 2011, elle entame une tournée à travers la France, la Belgique et la Suisse. Aujourd'hui, elle alimente une chaîne Youtube avec ses compositions. En 2012, son premier album se classe numéro 1 des ventes sur iTunes Store. Au MTV Europe Music Awards, elle est nominée dans la catégorie «Meilleur artiste français».

Elle **danse**

Shy'm est le nom de scène de Tamara Marthe, née le 28 novembre 1985 à Trappes, près de Paris. Elle est chanteuse et danseuse de pop. Son père martiniquais est chanteur et sa mère française est danseuse.

«Shy» signifie «timide» en anglais, le «m» rappelle la Martinique.

Ses idoles sont Tracy Chapman, Beyoncé Knowles ou les Red Hot Chili Peppers. Après le lycée, elle renonce à devenir vétérinaire pour danser et chanter.

En 2012, elle remporte le NRJ Music Awards de l'Artiste féminine francophone de l'année.

REFRAIN
Elle est en mode rétro-radio
Le rythme dans la peau
Elle court les salles de danse
Ô miroir donne-lui sa chance

Elle est en mode rétro-radio
Flashdance à fleur de peau
Bien dans son époque
Elle mélange disco et pop
Elle danse

Miss n'a plus trop le cœur à l'école
A le boom box à l'épaule
A troqué ses ballerines
Pour des Stan Smith sans lacets

Elle s'inspire de ses idoles
Elle porte les guêtres aux pieds
Une fashion victim est née

Elle court tous les jours
Pour évacuer le stress
Elle s'évade dans sa tête
Elle crâne, elle rêve

Elle s'enivre de mélodies
Qui inspirent ses moindres gestes
Elle s'exerce, elle répète
Elle est prête

REFRAIN

Et elle danse, danse, danse, danse, danse (4×)

Miss travaille jour et nuit
Se torture sans merci
Elle sait que l'on n'a rien sans rien
C'est le rêve de sa vie

Elle danse sa personnalité
Dans toute sa féminité
Une dancing victim est née

Elle court tous les jours
Pour évacuer le stress
Elle s'évade dans sa tête
Elle crâne, elle rêve

Elle s'enivre de mélodies
Qui inspirent ses moindres gestes
Elle s'exerce, elle répète
Elle est prête

REFRAIN

Et elle danse, danse, danse, danse, danse (4×)
Et elle danse

REFRAIN

Et elle danse, danse, danse, danse, danse (4×)

Chante

4

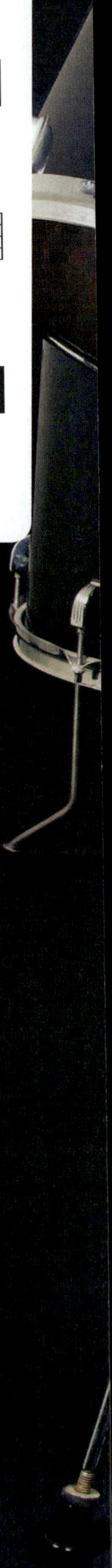

Les Forbans est un groupe populaire de rock 'n' roll français des années 1980.

Le groupe se compose de quatre musiciens des noms d'artistes Keuss (contrebasse), Chelmi (batterie), Seimar (guitare solo) et Bébert (chant). Entre 1981 et 2009, Les Forbans ont sorti 15 albums et un film.

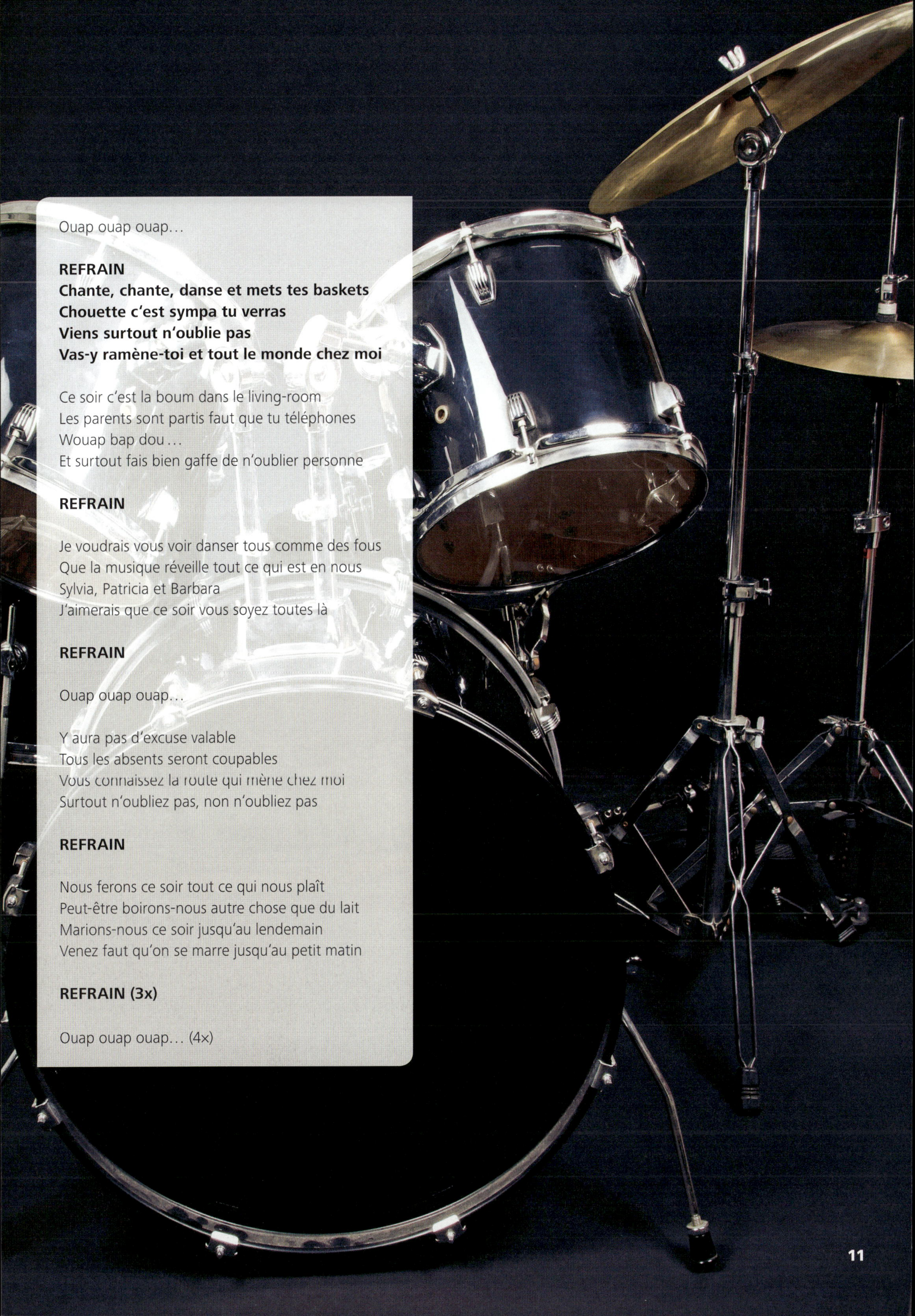

Ouap ouap ouap...

REFRAIN
Chante, chante, danse et mets tes baskets
Chouette c'est sympa tu verras
Viens surtout n'oublie pas
Vas-y ramène-toi et tout le monde chez moi

Ce soir c'est la boum dans le living-room
Les parents sont partis faut que tu téléphones
Wouap bap dou...
Et surtout fais bien gaffe de n'oublier personne

REFRAIN

Je voudrais vous voir danser tous comme des fous
Que la musique réveille tout ce qui est en nous
Sylvia, Patricia et Barbara
J'aimerais que ce soir vous soyez toutes là

REFRAIN

Ouap ouap ouap...

Y aura pas d'excuse valable
Tous les absents seront coupables
Vous connaissez la route qui mène chez moi
Surtout n'oubliez pas, non n'oubliez pas

REFRAIN

Nous ferons ce soir tout ce qui nous plaît
Peut-être boirons-nous autre chose que du lait
Marions-nous ce soir jusqu'au lendemain
Venez faut qu'on se marre jusqu'au petit matin

REFRAIN (3x)

Ouap ouap ouap... (4x)

La musique
peut tout changer

Le Collège Colette se trouve à Sartrouville, dans la banlieue de Paris. En 2009, les élèves du Collège ont écrit cette chanson et ils ont tourné un clip près de la Tour Eiffel.

La chanson «La musique peut tout changer» parle de l'effet positif de la musique. Ces jeunes collégiens forment un groupe multiculturel qui exprime sa joie de vivre.

Collège Colette de Sartrouville - M. Bertram

5

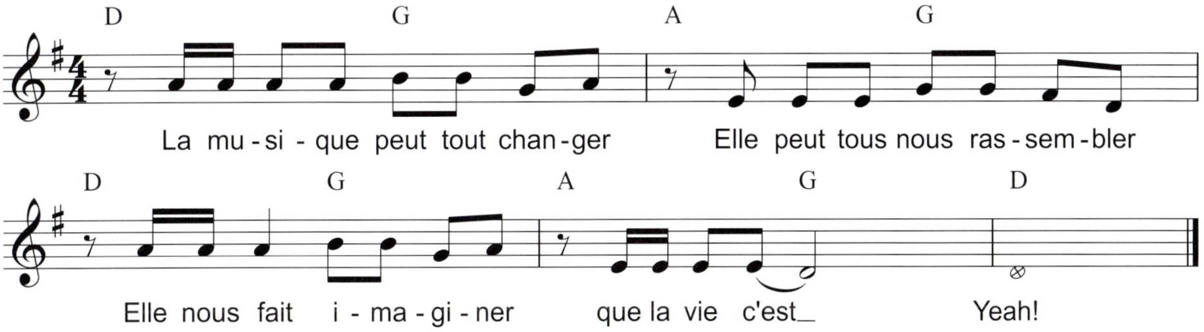

On arrivait tous des quatre coins du monde
On s'était tous retrouvés par hasard
On s'était tous dit que ce serait de la bombe
Même si c'était pas gagné au départ
Chacun avait son look et son histoire
Sa propre manière pour chanter
On était tous un peu dans le brouillard
On ne savait pas où on allait
…

He, moi je sais pas chanter
T'inquiète pas, on va t'apprendre
On commence quand
On commence maintenant

Au début tout le monde se battait
On avait tous envie de se tuer
On se prenait tous des heures de colle
On n'aimait pas beaucoup l'école
Mais peu à peu, comme un jeu
La musique a mis le feu
Un peu comme si le vaudou
S'était emparé de nous

REFRAIN (2×)
La musique peut tout changer
Elle peut tous nous rassembler
Elle nous fait imaginer
Que la vie c'est Yeah!

Diouell voulait du hip-hop
Et Jason de la salsa
Laetitia voulait chanter du zouk
Et Tracy du ragga
Pas facile de trouver un chemin commun
Quand ça part dans tous les sens
Faut que chacun y mette du sien
On avance

Alors on s'est tous mis à chanter
A bouger et à danser
Comme si la tristesse de l'école
Etait oubliée
C'était un tremblement de terre
Une tornade un ouragan
Mais ensemble on peut tout faire
Et c'est ça ce qui est important

REFRAIN (2×)

Que l'on soit de Mexico
Ou de Bisso Na Bisso
Que l'on soit d'en bas ou d'en haut
La musique nous tient chaud
Oh…

La musique peut tout changer
Elle nous fait imaginer
Yeah!

REFRAIN

Aperçu de la tâche

Cette histoire vous chante?

Les chansons «Punaise» et «Petit martien» racontent des histoires amusantes. Dans la tâche, tu écris toi-même une histoire – l'histoire d'une rencontre, d'un petit malheur, d'un rêve inoubliable ou d'un moment où tu as eu de la chance. Ensuite, tu la lis devant un public: «Cher public, écoutez l'histoire…»

Objectifs

Französisch hören, lesen, sprechen, schreiben
Ich kann aus Hörtexten (Chansons) einzelne Ausschnitte heraushören.
Ich kann den Inhalt von einigen Chansons verstehen, wenn mir Verstehenshilfen zur Verfügung stehen.
Ich kann eine eigene Geschichte schreiben.
Ich kann eine selbst geschriebene Geschichte vorlesen.
Ich kann das *passé composé* mit den Hilfsverben *avoir* und *être* bilden und beim Schreiben eines Textes verwenden.

Bewusstheit für Sprachen und Kulturen
Ich kenne einige französische Chansons und deren Interpretinnen und Interpreten.
Ich kenne verschiedene Sehenswürdigkeiten und Besonderheiten von Paris.

Lernstrategien
Ich weiss, dass ich Verbformen in einer Verbentabelle oder in einem Online-Wörterbuch nachschauen kann.
Ich weiss, dass ich durch Blickkontakt die Aufmerksamkeit des Publikums gewinnen kann.
Ich kann mein Lernen und meine Lernstrategien mit Hilfe der *revue* oder des ESP reflektieren.

Das habe ich auch noch gelernt

B

Punaise!
Du hörst ein Chanson, das eine lustige Geschichte erzählt.
› vorher zu bearbeiten: A

C

Ça a été?
Du rufst dir das *passé composé* mit *avoir* in Erinnerung.
› vorher zu bearbeiten: A B

A

Pot-pourri
Du hörst ein Potpourri mit französischen Chansons.

ATELIER

Si Paris vous chante...
Du entdeckst Sehenswürdigkeiten, Besonderheiten und Musik von Paris.
› vorher zu bearbeiten: A

Punaise!
Petit martien

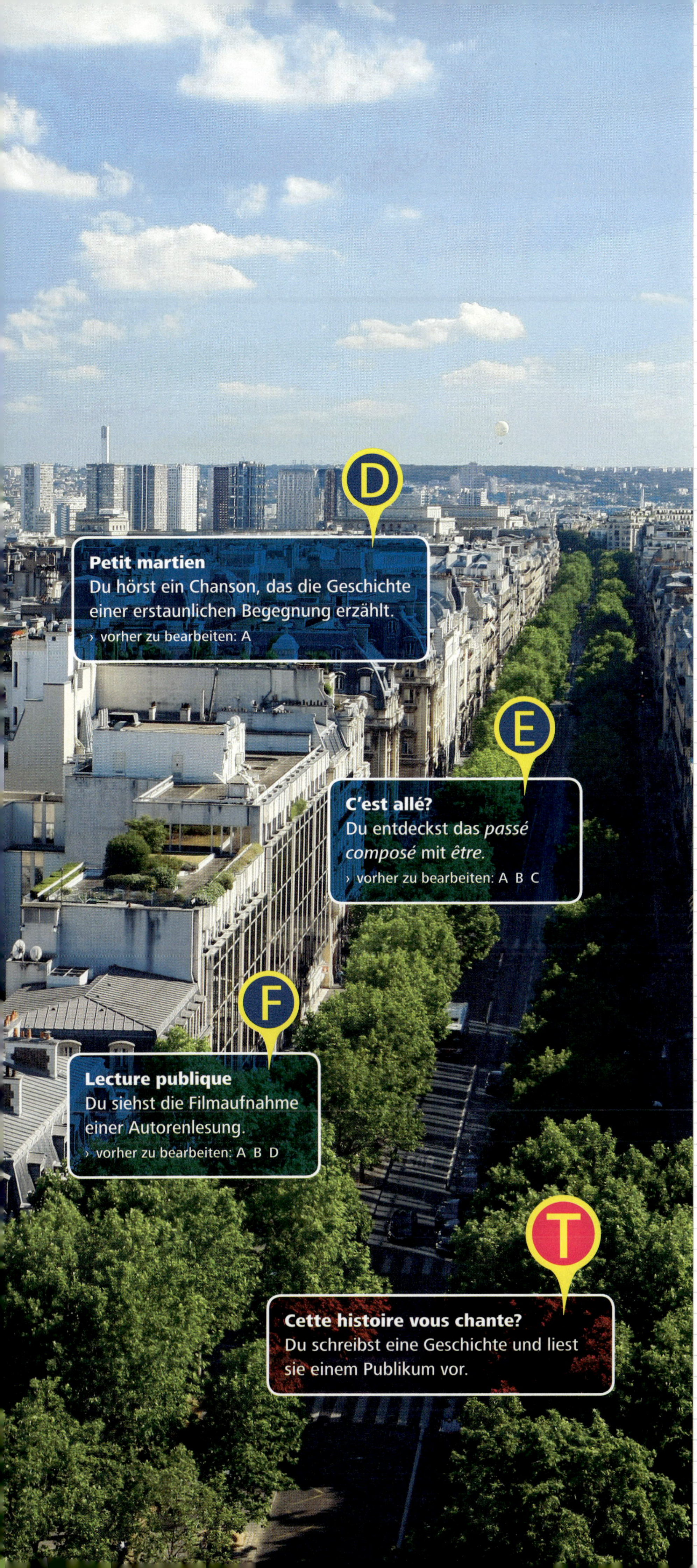

D

Petit martien
Du hörst ein Chanson, das die Geschichte einer erstaunlichen Begegnung erzählt.
› vorher zu bearbeiten: A

E

C'est allé?
Du entdeckst das *passé composé* mit *être*.
› vorher zu bearbeiten: A B C

F

Lecture publique
Du siehst die Filmaufnahme einer Autorenlesung.
› vorher zu bearbeiten: A B D

T

Cette histoire vous chante?
Du schreibst eine Geschichte und liest sie einem Publikum vor.

A

B

C

D

ATELIER

E

F

T

CRASH!

Punaise!

Thomas Fersen

9–10

Un matin, je suis parti de chez moi en voiture. Après quelques mètres, un clou a troué mon pneu. Punaise, j'étais gonflé à bloc. Je n'avais pas le choix: je devais marcher jusqu'au garage pour acheter une nouvelle chambre à air.

Arrivé là-bas, j'avais les pieds en compote. Malgré ces ennuis, j'ai rassemblé tout mon courage. J'ai mis le nouveau pneu et j'étais enfin prêt à repartir.

Malheureusement j'ai démarré en marche arrière et BING, j'ai enfoncé le pare-choc. Suite au coup, j'ai renversé le lait et pire encore, j'ai écrasé un coq. Quand je voulais partir de nouveau, j'ai oublié de desserrer le frein à main. Du coup, la bagnole était morte.

Enervé, je suis descendu de la voiture et j'ai claqué la porte. La clenche m'est restée dans ma main et la porte entière est tombée sur le chemin. J'ai crié: «Punaise!»

Tout à coup, j'ai entendu le chant du coq. Je me suis réveillé dans ma chambre, couché dans mon lit. Quelle chance! Ce n'était qu'un rêve.

J'ai sauté du lit, j'ai mis mes habits et j'ai arrangé mes cheveux. Je suis parti à toute vitesse et j'ai fait crisser les pneus… J'étais gonflé à bloc!

Le Parisien **Thomas Fersen** a reçu sa première guitare pour ses 14 ans, en 1977. Sa première chanson est sortie en 1988. Depuis, il a sorti plusieurs albums à grand succès.

Petit **martien**

La Fanfare en Pétard

16–17

Un matin, je me suis baladé dans la cité. C'est là que j'ai vu un petit martien. Il avait l'air bien énervé. Je lui ai demandé: «Hé, qu'est-ce que tu fais toi avec tes trois doigts de pieds?» Il m'a juste répondu: «Bibidibibidibibidibibidibibidiboum ba deï.»

Deux secondes après, on a rencontré un flic. Le martien lui a dit: «Hé toi, t'es ouf avec tes cinq doigts de pieds.»

Manque de chance – le policier nous a emmenés au commissariat où on a passé la nuit.

Le lendemain, on est sorti du commissariat. Le petit martien et moi, nous avons décidé de partir loin, très loin. Mais où aller? On avait envie d'écouter de la bonne musique hiphop funky. C'est pour cette raison qu'on a pris l'avion en destination de New York.

Arrivés dans cette grande ville, on est entré dans la première cave qu'on a trouvée. Malheureusement, la musique n'était pas bonne. C'est pourquoi le petit martien a commencé à se bagarrer avec le DJ pour obtenir le microphone. Hélas, il ne connaissait pas les coutumes du monde. Entre-temps, moi j'ai pris la place du DJ. Dans la salle toute enthousiasmée, on a fait la fête jusqu'au bout de la nuit.

Le groupe **La Fanfare en Pétard**, souvent surnommé **FEP**, est un groupe de hip-hop de Strasbourg, en Alsace. Il se compose de six musiciens dont les instruments sont: le mégaphone, le saxophone, la trompette, la caisse, le soubassophone et le trombone.

Ils chantent surtout en français, mais aussi en anglais et en alsacien.

Pot-pourri

Tu écoutes un pot-pourri de chansons françaises.

7 chansons – 7 styles – 7 thèmes… il y en a pour tous les goûts!
Ça te chante de plonger dans le monde de la musique française?

6 » Ecoutez le pot-pourri qui se compose d'extraits des 7 chansons de ce magazine.

7 » Lisez et écoutez les titres et les extraits des chansons.

» Réécoutez le pot-pourri. Marquez les extraits que vous entendez.

réécoutez
hört noch einmal

Nuit de folie
Verrückte Nacht
…et tu chantes, chantes, chantes ce refrain qui te plaît…

Elle danse
Sie tanzt
…elle est en mode rétro-radio, le rythme dans la peau…
… sie ist im Retro-Radio-Modus, den Rhythmus in der Haut (im Blut) …

Petit martien
Kleiner Marsmensch
…petit martien, petit petit petit martien…

Alors on danse
Lasst uns tanzen
…alors on danse…

Punaise
Verflixt
…j'étais gonflé à bloc…
… ich war so was von genervt …

Chante
Sing
…chante, chante, danse et mets tes baskets…
… sing, sing, tanz und zieh deine Turnschuhe an …

La musique peut tout changer
Die Musik kann alles verändern
…la musique peut tout changer, elle peut tous nous rassembler…
… die Musik kann alles verändern, sie kann uns alle zusammenbringen …

Quelles chansons aimeriez-vous écouter?
» Choisissez 1 à 2 chansons.
1–5, 9, 16 » Ecoutez-les. Vous les trouvez aux pages 5 à 13 et 18 et 19.

J'aimerais écouter «…».
D'accord.
Ça roule!
Je préfère écouter «…».

Titeuf

LE RAP ÇA FAIT MAL
ZBOM DJJJ ZBOBOM DJJJ
BUNK TCHAK YO DJJJ
ZBOM ZBOM DJJJ
TCHAK ZBOM TCHAK
YO! ZBOM DJJJ TCHAK
ZBOM BOM TCHAK DJJJ
SKRRRRRRRRRRRR
WAAAAÏE
ILS SONT CHOUS... DEPUIS HIER ILS N'ÉCOUTENT PLUS QUE LES DISQUES D'HENRI DÈS !
ON DIT QUE T'ES MAUVAIS ! C'EST PÔ VRAI C'EST PÔ VRAI MON P'TIT LOUP
Z.

Activité **B**

Punaise!

Tu écoutes une chanson qui raconte une histoire drôle.

Punaise – pas de chance!
Une panne après l'autre; rien que de petits malheurs. Un vrai désastre!
Est-ce vrai ou est-ce peut-être un rêve?

» Ecoutez la chanson.

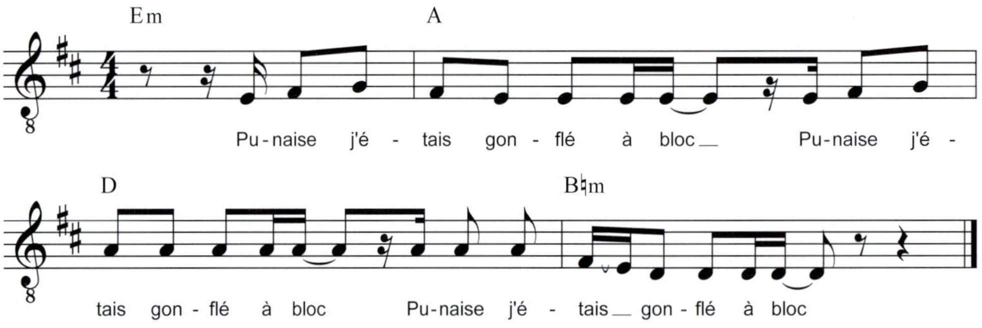

» Regardez l'illustration. Lisez et écoutez les extraits.

» Réécoutez la chanson. Marquez les extraits que vous entendez.

punaise
verflixt

être gonflé/-e à bloc
hier: völlig entnervt sein

Qu'est-ce qui se passe dans cette histoire?
» Racontez.

» Lis et écoute l'histoire entière à la page 18.

Un clou a troué mon pneu.
BING
Je suis parti en marche arrière
et BING…
J'ai enfoncé le pare-choc.
J'ai renversé le lait.
J'ai écrasé un coq.
RRRRRAAAAHRRAAAR…
putt putt
J'ai oublié de desserrer le frein à main -
la bagnole était morte.
CLAQUE
J'ai claqué la porte et la clenche
m'est restée dans la main.
TAC
La porte entière est tombée
sur le chemin.
Cocoricoooo
J'ai entendu le chant du coq
et je me suis réveillé.

Activité C

Comment utiliser la machine «Le passé composé»?
S'agit-il de verbes en -*er*? Oui ou non?

entendre: non	renverser: oui
-er	-er
entendu	renversé
fait	claqué
…	…

» Ecrivez des phrases au passé composé dans la case correspondante.

avoir
J'ai…
Tu as…
Il/Elle/On a…
Nous avons…
Vous avez…
Ils/Elles ont…

-er (non)	-er (oui)
J'ai entendu le chant du coq.	Il a renversé le lait.

Je suis parti en marche arrière et BING…

Un clou a troué mon pneu.

J'ai enfoncé le pare-choc.

J'ai renversé le lait.

J'ai écrasé un coq.

J'ai oublié de desserrer le frein à main - la bagnole était morte.

J'ai claqué la porte et la clenche m'est restée dans la main.

La porte entière est tombée sur le chemin.

J'ai entendu le chant du coq et je me suis réveillé.

Activité B

Est-ce que tu te souviens d'un de tes rêves?
Ces expressions peuvent t'aider à te rappeler.

11 » Lisez et écoutez les expressions.

Dans mon rêve, je suis...

à l'école
dans ma chambre
dans un tunnel
sur une île
dans le désert
dans une forêt
dans une grande ville
dans la jungle
une star
....

Dans mon rêve, il y a...

une araignée
un tigre
un copain
...

Je rêve d'...

Je rêve que j'/je...

Dans mon rêve, j'/je...

sais voler	kann fliegen
rate le train	verpasse den Zug
suis poursuivi/-e par...	werde von ... verfolgt
tombe dans le vide	falle ins Leere
arrive en retard	komme zu spät
ai un accident	habe einen Unfall
ai peur	habe Angst
fais la fête	mache Party
passe un examen	habe eine Prüfung
reçois un cadeau	bekomme ein Geschenk
m'enfuis devant un / une...	fliehe vor...
nage dans la mer	schwimme im Meer
perds mes affaires	verliere meine Sachen
n'arrive pas à destination	komme nicht am Ziel an
...	

» Prépare-toi à raconter un de tes rêves ou un rêve imaginé. Note quelques mots.

» Racontez vos rêves.

Ça a **été?**

Tu te rappelles le passé composé avec «avoir».

Pour raconter ce qui s'est passé, on utilise souvent le passé composé.
Tu te souviens de la machine du magazine 5.2?

» Fabrique des phrases avec la machine.

Les verbes en -*er*, c'est fastoche! **J'ai rêvé, nous avons mangé, tu as fermé...**

Les terminaisons des autres verbes sont -*i*, -*u*, -*ert*, -*t* ou -*s*, sauf être (été) et naître (né).
Tu en connais déjà quelques-uns.
Voici les verbes du vocabulaire de classe 5.2.

» Relisez et réécoutez-les.
Vous les trouvez aussi à la page 15 de la revue.

On a fait...	faire	Wir haben ... gemacht.
J'ai dit...	dire	Ich habe ... gesagt.
J'ai eu...	avoir	Ich habe ... gehabt.
Elle a vu...	voir	Sie hat ... gesehen.
J'ai été...	être	Ich bin ... gewesen.
J'ai mis...	mettre	Ich habe ... gelegt.
		Ich habe ... gestellt.

12

Activité **C**

Comment utiliser la machine «Le passé composé»?
S'agit-il de verbes en -***er***? Oui ou non?

entendre: non	renverser: oui
-er	-er
entendu	renversé
fait	claqué
…	…

» Ecrivez des phrases au passé composé dans la case correspondante.

renverser le lait
entendre le chant du coq
claquer la porte
mettre les habits
crier «Punaise!»
arranger mes cheveux
faire crisser les pneus

avoir
J'ai…
Tu as…
Il/Elle/On a…
Nous avons…
Vous avez…
Ils/Elles ont…

-er	-er
J'ai entendu le chant du coq.	Il a renversé le lait.

Tu peux chercher des formes que tu ne connais pas dans un livre de conjugaison ou dans un dictionnaire en ligne.

Chercher des formes verbales
Verbformen suchen

Schlage Verbformen nach.

dict.leo.org/frde

» Inscris le verbe. Clique sur 🔍

dormir

» Clique sur ◫.

dormir

...et tu trouves:

Passé composé
j'ai dormi
tu as dormi
il/elle a dormi
nous avons dormi
vous avez dormi
ils/elles ont dormi

» Utilisez un livre de conjugaison ou un dictionnaire en ligne.
Ecrivez des phrases au passé composé.

ouvrir les yeux **entendre un bruit**
choisir une chanson **répondre au téléphone** **prendre le bus**
lire une histoire **recevoir une médaille** **remplir un verre**

J'ai .... les yeux.

Activité C

» Entraîne-toi à écrire des phrases au passé composé avec «avoir». Fais le niveau 1 à l'ordinateur.

» Ecris des phrases au passé composé. Relie les verbes aux objets. Commence les phrases par une expression de la liste.

D'abord...
Zuerst ...

Ensuite...
Dann, Danach ...

Puis...
Dann, Danach ...

Tout à coup...
Plötzlich ...

Finalement...
Schliesslich ...

Mais...
Aber ...

Alors...
Also ...

Plus tard...
Später ...

En même temps...
Gleichzeitig ...

Malheureusement...
Leider ...

Un matin...
Eines Morgens ...

Le lendemain...
Am nächsten Tag ...

...

acheter
écouter
fermer
prendre
rencontrer
faire
oublier
voir (sehen)
regarder (schauen)
lire
ouvrir
mettre
...

le livre
le bus
les devoirs
une BD
une grotte
un petit martien
un film
les yeux
la télé
la fête
une chanson
la porte
un copain
une histoire
les lunettes
un pull
un robot
le train
une star
un voyage
...

Plus tard, nous avons regardé la télé.

Corriger
Korrigieren

Überprüfe Texte von anderen auf sprachliche Korrektheit. So gewinnst du mehr Sicherheit im Verwenden von Formen.

» Corrigez ensemble.

» Mémorise quelques verbes avec «avoir» au passé composé et les autres expressions.

13

demander: «…»	fragen: «…»
fermer	schliessen
rêver	träumen
rencontrer	begegnen, treffen
oublier	vergessen
répondre: «…»	antworten: «…»
répondu	geantwortet
dormir	schlafen
dormi	geschlafen
ouvrir	öffnen
ouvert	geöffnet
d'abord	zuerst
ensuite	dann, danach
puis	dann, danach
plus tard	später
finalement	schliesslich
tout à coup	plötzlich
en même temps	gleichzeitig
malheureusement	leider
un matin	eines Morgens
le lendemain	am nächsten Tag

Activité **D**

Petit martien

Tu écoutes une chanson qui raconte l'histoire d'une rencontre étonnante.

Qu'est-ce qui se passe quand un petit martien arrive sur Terre?
Il trouve un ami et l'aventure commence...

14 » Ecoutez le refrain de la chanson.

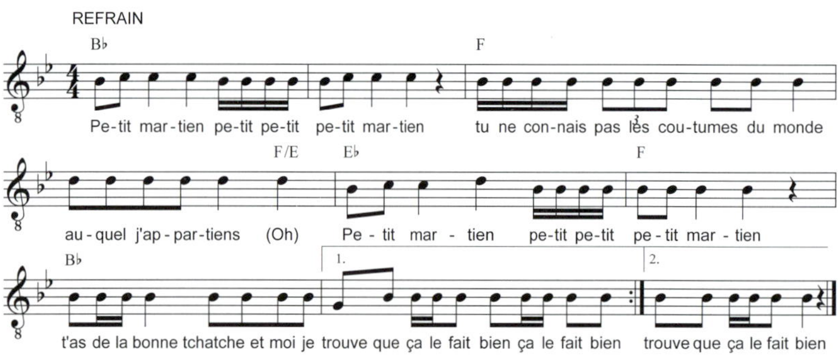

Kleiner Marsmensch, du weisst nicht, wie meine Welt tickt.
Kleiner Marsmensch, du quasselst andauernd und das finde ich cool.

15 » Lis et écoute les extraits.

Le martien dit au flic: «T'es ouf!»	....
On se rencontre dans la cité.	....
On prend l'avion pour New York.	....
On fait la fête.	....
On passe la nuit au commissariat.	....
On rencontre un flic.	....

un flic
ein Polizist

ouf = fou
verrückt

la cité
die Vorstadtsiedlung

passer la nuit
die Nacht verbringen

Qu'est-ce qui se passe au début, ensuite… et à la fin?
» Imagine une histoire. Numérote les extraits de 1 à 6.

» Comparez vos histoires.

J'ai la même chose.

D'abord «...».

Ensuite «...».

Puis «...».

A la fin «...».

J'ai autre chose.

Quelle est l'histoire de la chanson?
» Regardez le clip. 16

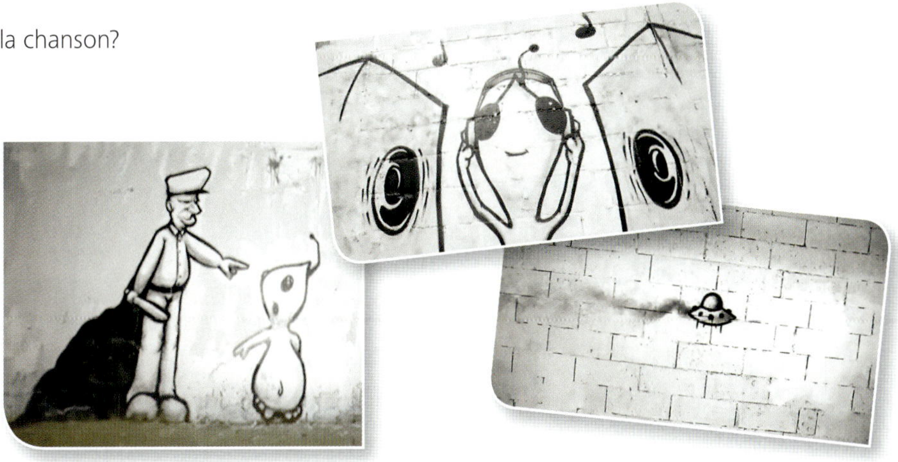

» Lisez et écoutez le texte à la page 19.
Utilisez la boîte de traduction. 17

se balader	spazieren gehen
les doigts de pieds	die Zehen
le lendemain	am nächsten Tag
partir	verreisen
se bagarrer	sich prügeln
la coutume	die Sitte, die Gewohnheit

» Réécoutez le refrain. 14

» Ecoutez la version parlée. 18

» Lisez le refrain plusieurs fois à haute voix. Parlez de plus en plus vite. Imitez le rappeur.

REFRAIN

Petit martien petit petit petit martien,
tu ne connais pas les coutumes du monde auquel j'appartiens.
Petit martien petit petit petit martien,
t'as de la bonne tchatche et moi je trouve que ça le fait bien, ça le fait bien.

Atelier

Si **Paris** vous **chante…**

Sartrouville

Des chanteurs de toutes les époques ont rendu hommage à Paris. Il existe d'innombrables chansons sur la ville lumière, sur ses quartiers, ses rues, ses monuments… Laissez-vous guider par quelques paroles de chansons et découvrez des curiosités de Paris…

« *La musique peut tout changer, elle peut tous nous rassembler*

«La musique peut tout changer», 2009, Collège de Sartrouville

La musique est importante pour le **Collège Colette de Sartrouville.** Les quelque 800 élèves ont leur propre chaîne de musique sur Youtube: www.youtube.com/channel/UCGZGGO4ADhvTmac84bObNGw

« *Paris est magique…*

«Allez Paris», Supporteurs PSG

Le fantôme de l'Opéra – a-t-il vraiment existé?

« *Je regarde le plan de Paris, où vais-je aller aujourd'hui… Dans le métro, les Parisiens suivent toujours le même chemin…*

«Paris énième», 1992, Zaniboni

Chaque seconde, 47 personnes prennent **le métro.** Cela fait près de 1,5 milliard de voyageurs par an.

Champs-Elysées

« *Il y a tout ce que vous voulez aux Champs-Elysées…*

«Les Champs-Elysées», 1970, Joe Dassin

Tour Eiffel

La Tour Eiffel est un des monuments les plus visités du monde. Elle accueille chaque année 7 millions de visiteurs. Gustave Eiffel est-il vraiment le père de la tour?

« *La Tour Eiffel a froid aux pieds…*

«Il est cinq heures Paris s'éveille», 1968, Jacques Dutronc

« *Je marche dans tes rues…*
Je bois dans tes cafés…
Je traîne dans tes métros…
Je rêve dans tes bistrots…
Je m'assois sur tes bancs…
Je regarde tes monuments…
Paris Paris…

«Paris», 2001, Marc Lavoine

« *Oui mais à Paname, tout peut s'arranger…*
Paname = Paris

«Sous le ciel de Paris», 1951, Juliette Gréco

« *…le champignon de Paris, il peut faire illusion, c'est même parfois bon, bon…*

«Le champignon de Paris», 2006, Plus Bifluorée

D'où vient le nom **des champignons de Paris?**

« *Sous le ciel de Paris s'envole une chanson...*
«Sous le ciel de Paris», 1954, paroles de Jean Dréjac, musique de Hubert Giraud

« *Paris sera toujours Paris La plus belle ville du monde...*
«Paris sera toujours Paris», 2014, ZAZ (Maurice Chevalier)

Un éléphant et un serpent au cœur de Paris – **une fontaine** de Tinguely et de Niki de Saint-Phalle – juste devant **le Centre Pompidou!**

Basilique Sacré-Cœur

Aimerais-tu écouter **des chansons sur Paris?** Tu en trouves sur Internet, par exemple sur le site www.parisetmoi.net.

Montmartre

« *Mon beau Paris, c'est toujours toi que j'aime...*
«Paris chéri», 2012, Bastian Baker

« *We love all that you do, Monsieur Pompidou...*
«We love you Monsieur Pompidou», 1973, Paul Baines, Nicholas Sonn, Arthur Cobb

Opéra Garnier

« *Elle donne tout le talent qu'elle a pour faire un bal à l'Opéra... Mad'moiselle de Paris*
«Mademoiselle de Paris», 1948, Maurice Chevalier

Centre Pompidou

« *Ô Notre-Dame! Oh! Laisse-moi rien qu'une fois. Pousser la porte du jardin d'Esmeralda*
«Notre-Dame de Paris», 1998, Garou, *Lavoie, Fiori*

Comme dans beaucoup d'autres villes, de nombreux amateurs et de pros de la musique se produisent le 21 juin à Paris. Le slogan: «Faites de la musique, **Fête de la Musique»**

Louvre

Cathédrale Notre-Dame de Paris

« *Paname allons danser le matin que je puisse voir en face ton vrai visage Paname = Paris*
«Paname allons danser», 2012, Maître Gim's

Y a-t-il **des crocodiles** dans les égouts? Voici Eléanore.

La comédie musicale qui porte le nom de la **Cathédrale Notre-Dame de Paris** raconte une tragique histoire d'amour. Quasimodo, le sonneur de cloches, Phoebus et Frollo – trois hommes amoureux de la jolie Esmeralda.

Seine

Catacombes

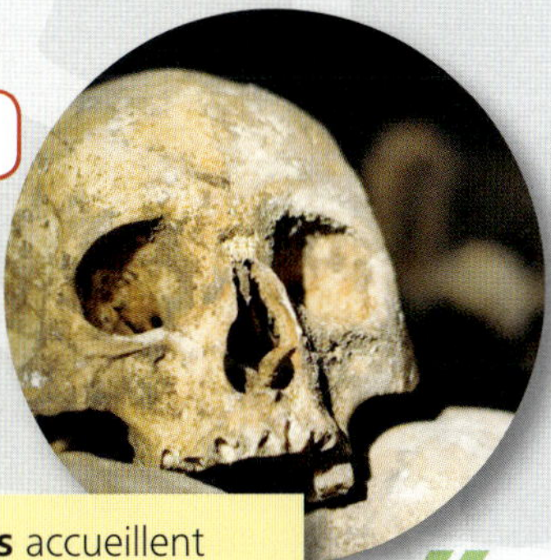

« *Mais la Seine est boueuse... Elle n'est plus qu'un égout... Paris*
«Notre rue de Paris», 1972, Alain Barrière

« *Dans les gares, les voyageurs se pressent dans la banlieue Pour passer un après-midi à Paris...*
«Paris, l'après-midi», 2014, ZAZ

Les Catacombes accueillent chaque année 300 000 visiteurs. Il y a des millions de squelettes.

« *Et vive la mort et l'égalité...*
«La danse macabre», 1872, Saint-Saëns par les vers de Cazalis, concert dans les Catacombes de Paris en 1897

Activité **E**

C'est **allé?**

Tu découvres le passé composé avec «être».

En français et en allemand, on forme le passé composé (Perfekt) avec «avoir» ou avec «être».

avoir (haben)	être (sein)
Il **a** dit: «T'es ouf?»	Ils **sont** partis.
Er **hat** gesagt: «Bist du verrückt?»	Sie **sind** weggegangen.

19

» Lisez et écoutez les phrases au passé composé avec «être».

Je suis resté à la maison.

Tu es restée à l'hôtel?

Il est resté à Paris.

Nous sommes restées au parc.

Vous êtes restés jusqu'au soir?

Elles sont restées longtemps.

» Complétez les phrases.

Je .... allé à la maison.

Tu .... allé en vacances?

Il .... allé à Paris.

Nous .... allés au stade.

Vous .... allés à la fête?

Ils .... allés au marché.

Je .... allée en ville.

Tu .... allée en Italie?

Elle .... allée à Lyon.

Nous .... allées chez Nadia.

Vous .... allées au festival?

Elles .... allées au cinéma.

Quand faut-il écrire allé, allée, allés ou allées?

» Discutez. Notez les règles.

Erinnerst du dich?

Die Endungen von Adjektiven passen sich in Geschlecht und Zahl dem Nomen an.

- un hôtel volant
- des hôtels volant**s**
- une voiture volant**e**
- des voitures volant**es**

Auch die Verben mit *être* im *passé composé* passen sich in Geschlecht und Zahl an.

» Echangez les règles.

» Présentez les règles.

Nous sommes allés.
Vous êtes allés.
Ils sont allés.

Voici quelques verbes courants avec «être» au passé composé.

» Lisez et écoutez-les.

20

Il est… allé monté arrivé venu entré retourné resté parti sorti descendu tombé

21–22

aller	gehen
monter	hinaufsteigen, einsteigen
arriver	ankommen
venir	kommen
venu/-e	gekommen
entrer	eintreten
retourner	zurückkehren
rester	bleiben
partir	weggehen, verreisen
parti/-e	weggegangen, verreist
sortir	hinausgehen
sorti/-e	hinausgegangen
descendre	hinabsteigen, aussteigen
descendu/-e	hinabgestiegen, ausgestiegen
tomber	hinfallen, fallen, stürzen

arriver
to arrive

retourner
to return

entrer
to enter

Activité E

1 2 3

» Entraîne-toi à former des phrases au passé composé avec «être».
Fais le niveau 2 à l'ordinateur.

» Formez des phrases au passé composé.

D'abord...	arriver	à l'école
Ensuite...	entrer	au cinéma
Puis...	rester	à la maison
Tout à coup...	aller	au lit
Finalement...	retourner	à la salle de sport
Mais...	venir	à la chambre
Alors...	venu/-e	à la cave
Plus tard...	descendre	au premier étage
En même temps...	descendu/-e	au Canada
Malheureusement...	partir	au troisième étage
Un matin...	parti/-e	au stade de foot
Le lendemain...	monter	sur la Tour Eiffel
		sur l'arbre
		à Genève
		en Italie
		...

sortir	de l'école
sorti/-e	du lit
tomber	de l'arbre
	du stade de foot
	par terre
	du podium
	du bateau
	...

Alors, elle est partie au Canada.

être

je suis...
tu es...
il/elle/on est...
nous sommes...
vous êtes...
ils/elles sont...

» Corrigez ensemble.

Corriger
Korrigieren

Überprüfe Texte von anderen auf sprachliche Korrektheit. So gewinnst du mehr Sicherheit im Verwenden von Formen.

Passé composé mit *avoir*?

Bei einigen Verben wird auf Deutsch ***sein*** verwendet, auf Französisch ***avoir***.

J'ai marché.
Ich bin marschiert.

J'ai été à Paris.
Ich bin in Paris gewesen.

Passé composé mit *être*?

Bei allen französischen Verben mit ***se*** im Infinitiv wird ***être*** verwendet.

se coiffer sich kämmen	Je me suis coiffé/e. Ich habe mich gekämmt.
se calmer sich beruhigen	Il s'est calmé. Er hat sich beruhigt.

» Entraîne-toi à l'ordinateur à former des phrases au passé composé avec «avoir» et «être». Fais le niveau 3.

1 2 3

» Mémorise les expressions de la page 35.

» Note tes découvertes dans la revue.

Lecture **publique**

Tu regardes le film d'une lecture publique.

Anne-Sophie Subilia et Guy Chevalley sont de jeunes auteurs de Suisse romande. Ils lisent leurs histoires «Une rencontre» et «Un jour de chance» devant un public. Tu peux t'inspirer de leurs présentations pour ta propre lecture dans la tâche.

» Lisez les résumés.

Eine Begegnung

Ich fuhr mit dem Zug nach St. Gallen zu meinem Vater.

Während der Fahrt von Bern nach Zürich sass mir eine alte Frau völlig bewegungslos, aber mit durchbohrendem Blick gegenüber. Ich fand sie sehr merkwürdig, so dass ich mich gar nicht auf meine Lektüre konzentrieren konnte, sondern ihr Spiegelbild im Fenster betrachten musste.

Plötzlich beugte sich die alte Frau vor und nahm meine Hand: «Komm, Kleine, ich werde dir deine Zukunft voraussagen.»

Anne-Sophie Subilia

Ein Glückstag

Gestern Abend ging ich mit meinen Freunden auf den Jahrmarkt. Meine Eltern erlaubten mir ausnahmsweise, erst um Mitternacht nach Hause zu kommen.

Obwohl meine Freunde und ich nicht viel Geld hatten, um auf Bahnen zu gehen, amüsierten wir uns an diesem Abend bestens. Erst als die Lichter ausgingen, schaute ich auf die Uhr. Es war eins! Ich rannte los, um den letzten Bus zu erreichen.

Mit fast zwei Stunden Verspätung kam ich zu Hause an. Es brannte noch Licht. Meine Eltern sassen vor dem Fernseher – und schliefen! Auf Zehenspitzen schlich ich in mein Zimmer. Sie haben nie erfahren, wann ich vom Jahrmarkt zurückgekommen bin.

Guy Chevalley

» Regardez les vidéos. Observez les auteurs. Comment captent-ils l'attention du public?

» Echangez vos impressions.

Sa voix est vive.

Sa mimique est expressive.

Parfois, il/elle parle fort.
Parfois, il/elle parle doucement.

Il/Elle regarde le public.

Il/Elle fait des gestes.

Il/Elle fait des pauses.

Il/Elle utilise un accessoire.

Il/Elle utilise des petits mots pour combler un blanc.

» Lis les 2 histoires à la page 40.

Une rencontre

Il était 10 heures quand la vieille s'est assise en face de moi dans le wagon. Je m'en souviens parce que j'avais sorti mon pain au chocolat et un jus d'orange en me disant: «Miam, encore deux heures de liberté et de tranquillité!». J'écoutais de la bonne musique, les pieds posés sur la banquette. J'ai l'habitude de voyager seule depuis que j'ai dix ans. Mon père vit à St-Gall. J'essaie toujours d'avoir une place près de la fenêtre.

Quand la vieille est arrivée, je ne l'ai pas saluée. Pas envie. J'ai laissé mes affaires sur la tablette et j'ai plongé la tête dans mon magazine. La vieille n'a pas ouvert la bouche, elle a mis ses mains en croix sur sa jupe. De Berne à Zurich, elle n'a pas bougé d'un millimètre. Une vraie statue! Je commençais à trouver ça bizarre, au point que je n'arrivais plus à me concentrer… J'ai observé son reflet dans la vitre. Elle avait un air vif et pénétrant.

Tout à coup, elle a avancé son visage et m'a pris la main:
– Viens, ma petite, je vais te lire l'avenir.

Anne-Sophie Subilia

Un jour de chance

Hier soir, je suis sorti avec mes copains. D'habitude, mes parents me demandent d'être rentré pour 23 heures, le samedi. Mais, pour une fois, j'ai pu rester dehors jusqu'à minuit parce qu'une fête foraine s'est installée en ville.

Mes copains et moi n'avons pas beaucoup d'argent et les manèges sont chers. Alors on a marché dans la foule, on a regardé les autres s'amuser et on a mangé des frites, assis sur un banc. On a discuté, on a ri. Puis, les gens ont quitté la fête foraine et les lumières se sont éteintes. J'ai regardé ma montre: il était une heure du matin! Le temps a passé si vite. J'ai couru pour prendre le dernier bus.

Quand je suis arrivé à la maison, j'avais presque deux heures de retard! J'ai vu de la lumière aux fenêtres. Mes parents m'ont attendu… J'ai poussé la porte d'entrée et je les ai trouvés devant la télévision, endormis sur le canapé! Je suis allé jusqu'à ma chambre sur la pointe des pieds, sans les réveiller. Et ils n'ont jamais su à quelle heure je suis rentré.

Guy Chevalley

Cette histoire vous chante?

Tu écris une histoire. Tu lis ton texte devant un public.

Tu préfères les histoires vraies ou fantastiques? La réalité ou les rêves? Les extraterrestres ou les terriens? Fais comme ça te chante!

Voici quelques thèmes à choix:

Ce n'est qu'un rêve
Es ist nur ein Traum

Un malheur après l'autre
Ein Missgeschick nach dem anderen

Une rencontre
Eine Begegnung

Quelle chance!
Welche ein Glück!

» Imagine l'histoire. Prends des notes.

Qui? Avec qui? Quoi? Quand?
Où? Avec quoi? Comment? ...?

Questions
W-Fragen

» Prépare le vocabulaire.
Note quelques mots.

Dictionnaire
Dictionnaire en ligne

Tâche

» Regarde les critères.

Les critères
- Deine Geschichte ist nachvollziehbar.
  Du beschreibst die Handlung ausführlich.
- Du verwendest in deinem Text verschiedene Satzanfänge.
- Du verwendest das *passé composé* korrekt.
- Du liest den Text flüssig und ausdrucksvoll vor.
  Die Aussprache ist korrekt. Du setzt Pausen bewusst ein.
- Du nimmst mit dem Publikum Blickkontakt auf.

» Ecris un brouillon. Ecris au passé composé.
Donne un titre à ton histoire.

Expérimenter
Experimentieren

Finde durch Experimentieren gute Formulierungen.

Débuts de phrases:
D'abord…
Ensuite…
Puis…
Tout à coup…
Finalement…
Mais…
Alors…
Plus tard…
En même temps…
Malheureusement…
Un matin…
Le lendemain…

» Relis ton histoire.
Marque 3 à 4 passages que tu aimerais vérifier.

» Vérifie-les. Tu peux…
- demander à un copain ou à une copine.
- consulter un dictionnaire (en ligne), un correcteur à l'ordinateur, un livre de conjugaison…

» Echangez vos brouillons. Donnez-vous un feedback.

» Retravaille ton texte.
La grille dans la revue à la page 25 peut t'aider.

Relecture
Gegenlesen

Gib den Text jemandem zu lesen. Er/Sie soll dir den Inhalt auf Deutsch erzählen. So kannst du merken, ob dein Text verständlich ist.

Tâche

» Ecris la version définitive.

Expression de la voix
Ausdruck der Stimme

Variiere deine Stimme, um den Inhalt von Aussagen zu verdeutlichen.

» Prépare la lecture.
  » Lis ton histoire à haute voix.
    Expérimente avec ta voix, le rythme, le volume, les pauses…
  » Mets-toi devant le miroir et imagine la situation d'une lecture publique.
    Apprends à prendre contact avec le public.

le miroir
der Spiegel

Pauses de discours
Sprechpausen machen

Mache beim Vorlesen oder Rezitieren bewusst kurze Pausen.

Capter l'attention par le regard
Aufmerksamkeit durch Blickkontakt gewinnen

Nimm Blickkontakt mit dem Publikum auf, damit es dir seine Aufmerksamkeit schenkt.

» Prépare la présentation.
Tu peux préparer…
- une introduction
- de la musique
- une image, un dessin
- un accessoire
- …

Cher public
Ecoutez l'histoire «…»

Je vous présente l'histoire qui s'intitule «…»

L'histoire que je vous présente est «…»

Je vous présente une histoire qui parle d'un/d'une…

» Présente ton texte.

Zoom

Ich kann eine eigene Geschichte schreiben.

Du hast in der *tâche* einen eigenen Text verfasst.
Welche Strategien haben dich dabei unterstützt?

» Kreuze an, wie du vorgegangen bist, und markiere, was besonders hilfreich war.

❒ eine Idee skizzieren
❒ sich beim Überlegen des Inhalts an Fragewörtern orientieren (Qui? Où? Quand? …)
❒ den Wortschatz vorbereiten
❒ einen Dictionnaire (en ligne) verwenden
❒ den Klassenwortschatz verwenden
❒ Verbformen nachschlagen
❒ eine Liste von Satzanfängen benutzen
❒ durch Experimentieren gute Formulierungen finden
❒ den Entwurf gegenlesen lassen
❒ einzelne Stellen markieren und nochmals prüfen
❒ den Text mit Hilfe der *revue* Seite 25 überarbeiten
❒ ______________________________
❒ ______________________________

Ich kenne einige französische Chansons und deren Interpretinnen und Interpreten.

Du hast in verschiedene französische Chansons gehört; auf der Multimedia-CD und vielleicht auch im Internet.
Welcher Stil, welche Gruppen oder Interpretinnen und Interpreten und welche Chansons sprechen dich besonders an?

Ich kenne verschiedene Sehenswürdigkeiten und Besonderheiten von Paris.

Quelles images te passent par la tête quand tu entends «Paris»?
Qu'est-ce que tu aimerais absolument voir ou faire dans cette ville?

Im *zoom* von *magazine* 7.2 hast du über deine Einstellungen zum Lernen nachgedacht und Vorsätze gefasst.
Schau in der *revue* auf Seite 28 nach, was du damals festgehalten hast. Überprüfe, wie gut es dir gelungen ist, deine Vorsätze zu verwirklichen.

Ich kann meine Einstellungen zum Lernen mit Hilfe der *revue* reflektieren.

Ich kann mein Lernen und meine Lernstrategien mit Hilfe der *revue* oder des ESP reflektieren.

Trage deine Einschätzungen auf Seite 29 der *revue* in den Barometer ein. Was nimmst du dir vor?

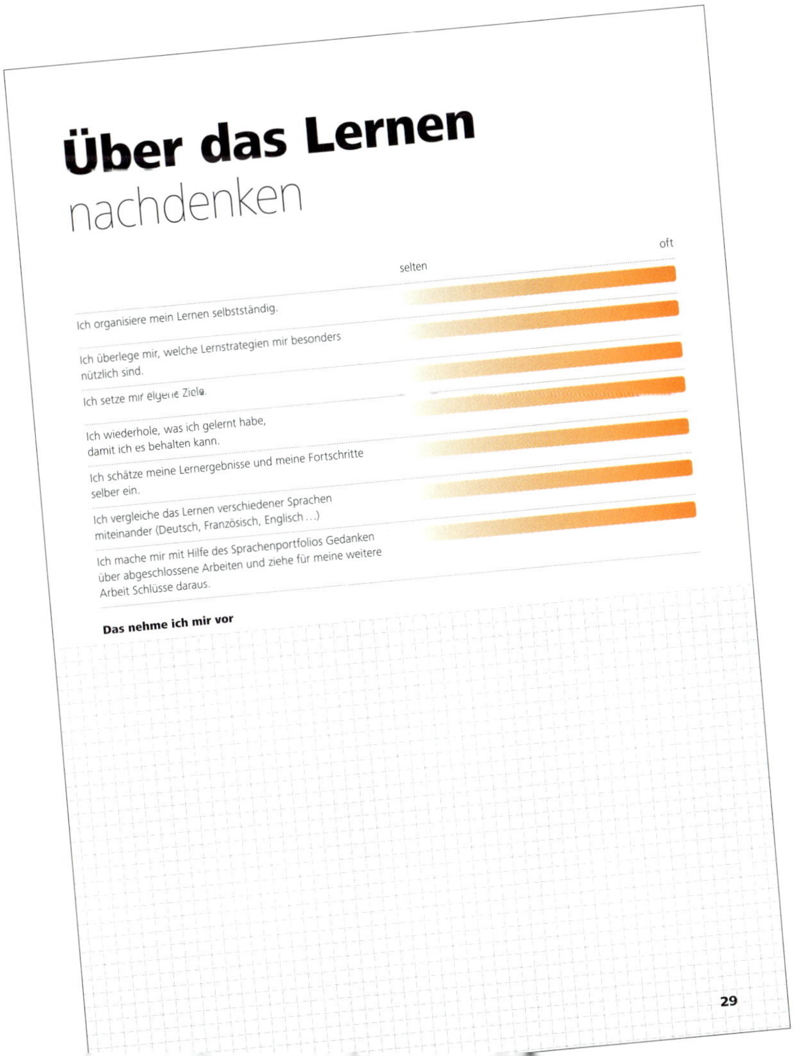

Über das Lernen nachdenken

	selten – oft
Ich organisiere mein Lernen selbstständig.	
Ich überlege mir, welche Lernstrategien mir besonders nützlich sind.	
Ich setze mir eigene Ziele.	
Ich wiederhole, was ich gelernt habe, damit ich es behalten kann.	
Ich schätze meine Lernergebnisse und meine Fortschritte selber ein.	
Ich vergleiche das Lernen verschiedener Sprachen miteinander (Deutsch, Französisch, Englisch …)	
Ich mache mir mit Hilfe des Sprachenportfolios Gedanken über abgeschlossene Arbeiten und ziehe für meine weitere Arbeit Schlüsse daraus.	

Das nehme ich mir vor

29

Tâche pages 41 à 45

Punkte	**4**	**3**	**2**	**1**	**0**
Inhalt Handlung	Deine Geschichte ist nachvollziehbar. Du beschreibst die Handlung ausführlich. ❐	Deine Geschichte ist meist nachvollziehbar. Du beschreibst die Handlung ziemlich ausführlich. ❐	Deine Geschichte ist einigermassen nachvollziehbar. Die Beschreibung der Handlung weist einzelne Lücken auf. ❐	Deine Geschichte ist nur teilweise nachvollziehbar. Die Beschreibung der Handlung weist viele Lücken auf. ❐	❐
Sprache Wortschatz			Du verwendest in deinem Text viele verschiedene Satzanfänge. ❐	Du verwendest in deinem Text verschiedene Satzanfänge. ❐	❐
Passé composé		Du verwendest das *passé composé* meist korrekt. ❐	Du verwendest das *passé composé* oft korrekt. ❐	Du verwendest das *passé composé* gelegentlich korrekt. ❐	❐
Vortragen Flüssigkeit und Aussprache		Du liest den Text flüssig und ausdrucksvoll vor. Die Aussprache ist korrekt. ❐	Du liest den Text ziemlich flüssig und stellenweise ausdrucksvoll vor. Die Aussprache ist meistens korrekt. ❐	Du liest den Text teilweise stockend und monoton vor. Die Aussprache ist oft nicht korrekt. ❐	❐
Kontakt mit dem Publikum				Du nimmst mit dem Publikum Blickkontakt auf. ❐	❐

Paris

Paris est la capitale de la France. La ville compte plus de 2 millions d'habitants, plus de 10 millions avec les agglomérations.

Le Louvre est un immense musée. La pyramide marque l'entrée. Des milliers d'œuvres, comme la Joconde, y sont exposées.

De nombreux peintres exposent leurs tableaux à Montmartre. 234 marches conduisent à la basilique du Sacré-Cœur d'où l'on a une magnifique vue sur Paris.

A Paris, la musique est partout: dans le métro, dans la rue, dans les cafés, dans les bistrots…

Audiotracks

Track	Texte
1.	Nuit de folie (Chanson)
2.	Alors on danse (Chanson)
3.	Elle danse (Chanson)
4.	Chante (Chanson)
5.	La musique peut tout changer (Chanson)
6.	Pot-pourri
7.	Titres et extraits des chansons
8.	Extraits «Punaise»
9.	Chanson «Punaise»
10.	Histoire «Punaise»
11.	Expressions: rêves
12.	Verbes au passé composé ($m5^2$)
13.	Fichier (1re partie): verbes avec «avoir» au passé composé
14.	Refrain «Petit martien» (version orignale)
15.	Extraits «Petit martien»
16.	Chanson «Petit martien»
17.	Histoire «Petit martien»
18.	Refrain «Petit martien» (version parlée)
19.	Phrases au passé composé (être)
20.	Verbes avec «être» au passé composé
21.	Fichier (2e partie): verbes avec «être» au passé composé
22.	Expressions français – anglais

Table des **matières**

Fastoche!

Boulard, Titeuf et Ducobu vont à l'école comme vous. Ils y vivent des drôles d'histoires. Parfois, la vie à l'école est facile, ou «fastoche!», comme dit Ducobu. Parfois, elle est un peu plus difficile, ou «pô* juste», pour citer Titeuf.

Il se passe plein de choses dans leurs classes – comme dans la vôtre. A vous de profiter de ces situations pour parler français ensemble et de vous exprimer comme les personnages des BD.

*pas

Die vier BD-Figuren erleben in der Schule so einiges. Kommt dir die eine oder andere Situation bekannt vor?

Was spielt sich in eurer Klasse den lieben langen Tag ab? Was gibt es zu besprechen, zu fragen, zu tuscheln, zu plaudern, klarzustellen, auszutauschen, zu schimpfen…? Nutze die Gelegenheiten, dich auf Französisch auszudrücken. Je mehr Übung du hast, desto leichter fällt es dir. «Fastoche!»

Bruxelles **plurielle**

Akro feat Julie Rens

1

REFRAIN
Bruxelles ma belle quand tu m'appelles
Je laisse Paris dans un hôtel et je me ramène
Bruxelles ma belle reste telle
Tu n'as pas besoin de périph ni de tour Eiffel
Bruxelles ma belle reste zen
Reste loin de leur querelle d'une langue officielle
Bruxelles plurielle

Bruxelles ma ville
Ravive tous ceux qui y pénètrent
Et si les grêlons s'invitent
En avril à nos fenêtres
On reste positifs

Avoue que Bruxelles est belle
Avec ou sans soleil c'est pareil
Quand Paris s'éveille
Ma ville s'émerveille

Ma petite capitale
En lettres capitales
Reste belle reste zen*
Face à leurs débats

Reste telle vaille que vaille vaille que vaille
Quand elle se dévoile
le cœur dans les étoiles

Akro est un rappeur belge, membre du groupe Starflam et auteur de quelques albums solo. Dès l'âge de 15 ans, il se passionne pour le rap. Il écrit alors ses premières rimes et enregistre les premiers titres.

Julie Rens commence à jouer du piano à l'âge de 5 ans et fait partie d'un chœur pendant dix ans. Elle étudie le jazz et le chant au Conservatoire de Bruxelles. Elle fait partie de différents groupes et dirige ses propres projets.

* rester zen = total cool bleiben

Nous parlons **français!**

Se présenter

Je m'appelle...
Je suis...
On m'appelle...
J'ai... ans.
J'habite...
Ma passion est...
Mon sport préféré est...
Ma chanson préférée est...
...

revue page 11

S'exclamer

C'est pas vrai!
Franchement!
Ça roule!
Sans blague?
Ça va pas?
Incroyable!
Zut!
Jamais de la vie!
...

revue page 8

Donner des consignes

Ecoute.
Lis le texte.
Lis plus fort.
Répète, s'il te plaît.
Ecris.
Fais voir!
Dépêche-toi!
Arrête ça!
...

revue page 8

Poser des questions
Donner des réponses

Qu'est-ce qu'il faut faire?
  Il faut...
Comment tu trouves ce/cet/cette...?
  Je trouve ça...
Qu'est-ce que ça veut dire?
Tu piges?
Comment ça s'écrit?
C'est juste?
...

revue page 7

Clarifier

Il faut...
Je pense qu'il faut...
D'abord, on doit...
Ensuite, il faut...
A la fin, on doit...
...

revue page 9

Jouer aux jeux

Commence.
C'est ton tour.
Mélange les cartes.
Distribue les cartes.
Prends une carte.
Jette le dé.
Avance de 3 cases.
Recule de 2 cases.
Compte les points.
Gagné!
...

revue page 12

Donner son avis

Ça a l'air...
C'est vachement bien.
Ça me plaît!
C'est le pied!
Pas mal!
Ça ne me plaît pas.
C'est nul.
C'est faux.
Non, ça ne va pas.
J'aime bien cette... parce qu'elle est...
Je suis d'accord avec toi.
J'aime moins ce/cet... parce qu'il est...
Je ne suis pas d'accord avec toi.
...

revue pages 10 et 11

Faire des hypothèses

Je pense que c'est un/une...
C'est peut-être un/une...
En français c'est peut-être...
...me fait penser à...
Je pense que oui.
Je pense que non.
...

revue page 8

Présenter quelque chose

Notre présentation parle de...
Nous vous présentons...
On vous présente...
Il s'agit d'un/d'une...
...

revue page 13

Comparer des résultats

J'ai noté...
J'ai la même chose.
J'ai autre chose.
Le numéro... correspond à...
Je ne comprends pas.
La réponse est...
A mon avis, la réponse est...
...

revue page 13

Aperçu de la tâche

Ben quoi?

Les personnages des BD de ce magazine vivent des drôles d'histoires à l'école. Toi aussi, tu fais plein de rencontres et tu as des discussions à l'école tous les jours. Dans ce parcours, tu parles français avec les autres aussi souvent que possible. Pour la tâche, tu imagines une situation en groupe et tu la mets en scène.

Objectifs

Französisch hören, lesen, sprechen, schreiben
Ich kann BD (*bandes dessinées*) verstehen, die in der Schule spielen.
Ich kann eine BD ausdrucksvoll vorlesen.
Ich kann Redemittel aus den BD und aus der *revue* («Nous parlons français!») im schulischen Alltag verwenden.
Ich kann einem kurzen Filmbericht einzelne Informationen entnehmen.
Ich kann mit anderen zusammen eine Szene erfinden und vorspielen.
Ich weiss, dass sich die Possessivbegleiter *mon*, *ton*, *son*… in Zahl und Geschlecht dem Nomen anpassen.

Bewusstheit für Sprachen und Kulturen
Ich kenne den Erfinder und Zeichner der BD-Figur Titeuf.

Lernstrategien
Ich kann meine Stimme variieren, um den Inhalt von Aussagen zu verdeutlichen.
Ich kann Füllwörter verwenden, um Sprechpausen zu überbrücken und um beim Sprechen natürlich zu wirken.
Ich kann die *revue* als Nachschlagewerk nutzen.
Ich weiss, dass ich Grammatikthemen in einer Referenzgrammatik nachschlagen kann.

Das habe ich auch noch gelernt

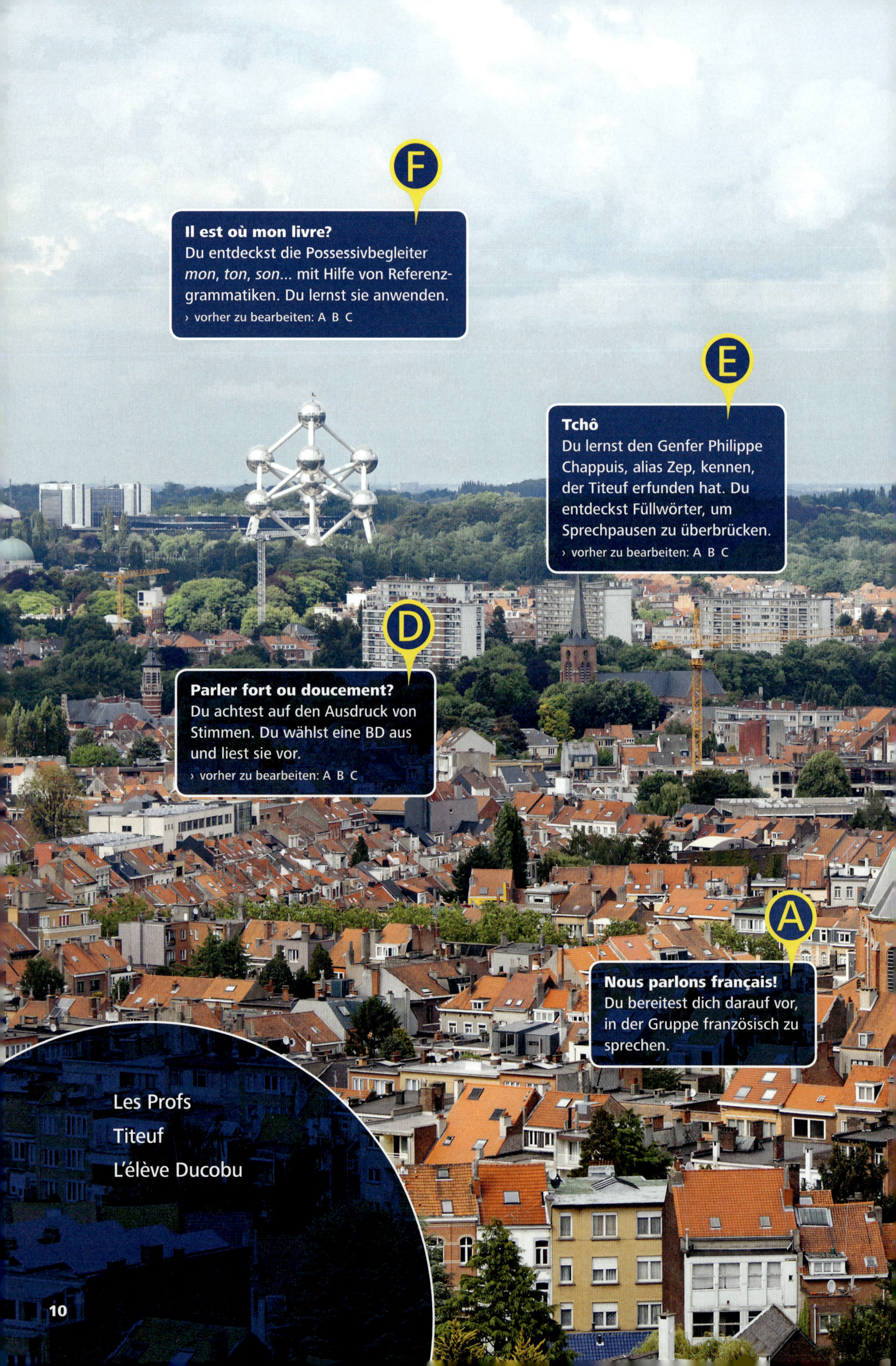

F

Il est où mon livre?
Du entdeckst die Possessivbegleiter *mon, ton, son*... mit Hilfe von Referenzgrammatiken. Du lernst sie anwenden.
› vorher zu bearbeiten: A B C

E

Tchô
Du lernst den Genfer Philippe Chappuis, alias Zep, kennen, der Titeuf erfunden hat. Du entdeckst Füllwörter, um Sprechpausen zu überbrücken.
› vorher zu bearbeiten: A B C

D

Parler fort ou doucement?
Du achtest auf den Ausdruck von Stimmen. Du wählst eine BD aus und liest sie vor.
› vorher zu bearbeiten: A B C

A

Nous parlons français!
Du bereitest dich darauf vor, in der Gruppe französisch zu sprechen.

Les Profs
Titeuf
L'élève Ducobu

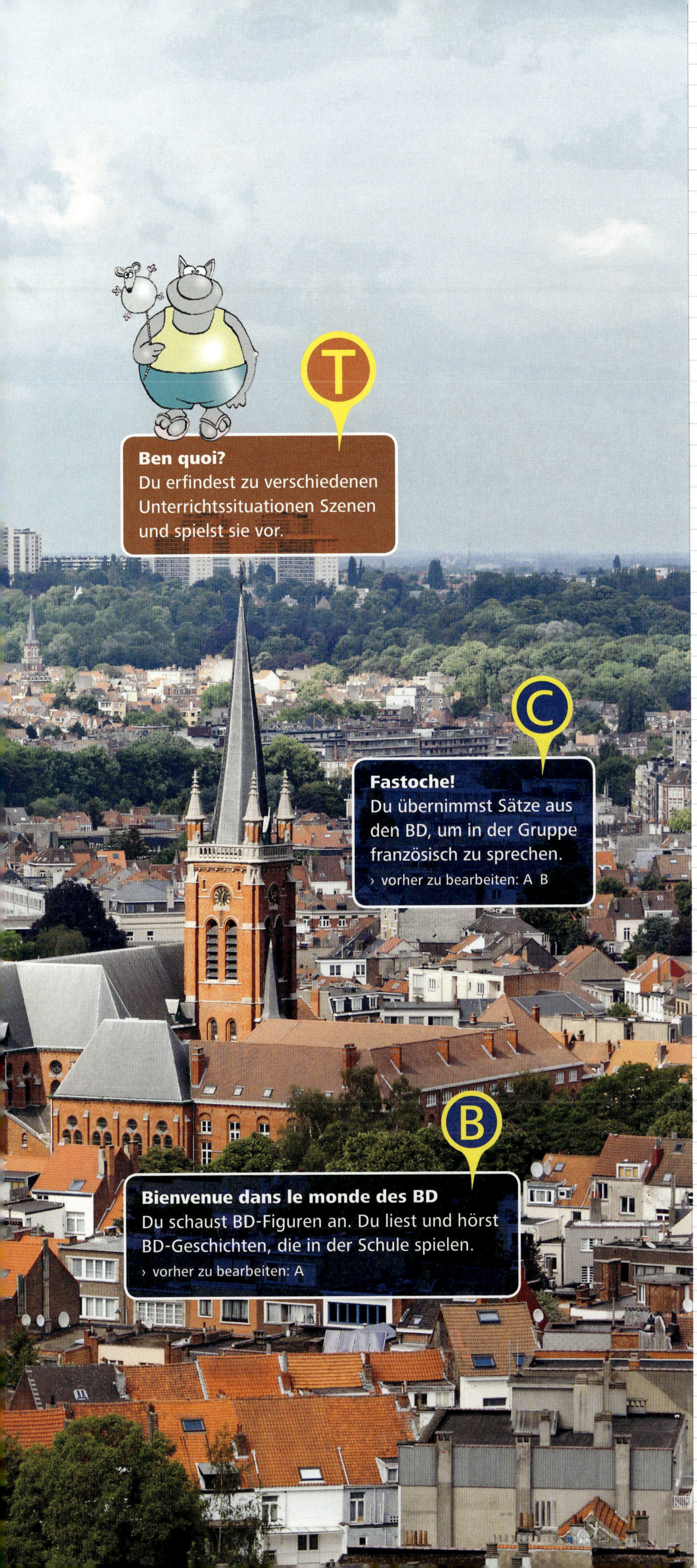

T

Ben quoi?
Du erfindest zu verschiedenen Unterrichtssituationen Szenen und spielst sie vor.

C

Fastoche!
Du übernimmst Sätze aus den BD, um in der Gruppe französisch zu sprechen.
› vorher zu bearbeiten: A B

B

Bienvenue dans le monde des BD
Du schaust BD-Figuren an. Du liest und hörst BD-Geschichten, die in der Schule spielen.
› vorher zu bearbeiten: A

A

B

C

D

E

F

T

Les Profs 1

DRiLiLi
LiLi

BON, VOYONS... QUI VAIS-JE INTERROGER, AUJOURD'HUI...
Les guerres Napoléoniennes
DRiLiLiLiLiLi
AH ! C'EST LE MIEN !
ALLÔ ? SALUT ! OUAIS, OUAIS, MAIS JE NE PEUX PAS TE PARLER LÀ ! JE TE RAPPELLE ! TCHAO !...
HEU... VOUS DISIEZ, M'SIEU ?
AH ! C'EST LE MIEN !
DRiLiLiLi
SALUT ! JE NE PEUX PAS TE PARLER, LÀ...
TIENS, ÇA ME FAIT PENSER QUE JE DOIS APPELER SANDRINE...
OH ! C'EST LE MIEN ! CE DOIT ÊTRE MAXIME !
TIP ! TIP !
DRiLiLi
OUAIS, RAPPELLE-MOI SUR MON PORTABLE, AU 06 81 77 02 44 !
JE NE PEUX PAS TE PARLER LÀ...
JE TE LAISSE MON NUMÉRO DE PORTABLE !
MAIS LÀ JE SUIS EN COURS ! JE TE RAPPELLE !
AH C'EST LE MIEN !
JE T'ENTENDS MAL : TOUS CES NULS TÉLÉPHONENT EN MÊME TEMPS QUE MOI !
AH ! C'EST LE MIEN ! ViiiTE ! ViiiiiTE !...
ALLÔ ?
DRii LiiLii
DRi Lii Lii
DRii
DRiii Liii Lii
AH ! C'EST ENCORE LE MIEN !
DRiLiLiLiii
ALLÔ ? ICI LE PROF D'HISTOIRE...
... POURRIEZ-VOUS VENIR AU TABLEAU S'IL VOUS PLAÎT !...
PICA 2000 + ERROC

Titeuf 1

le cours d'anglais
L'ANGLAIS, C'EST GÉNIAL, PARCE QUE JE SUIS AVEC NADIA...
EN GROUPES DE DEUX, VOUS ALLEZ TRAVAILLER CE PETIT DIALOGUE...
ET COMME C'EST UNE AUTRE LANGUE...
BON.
HELLO... MY NAME IS SUSY... WHAT'S YOUR NAME ?
ON PEUT EN PROFITER POUR DIRE DES TRUCS...
MY NAME IS TITEUF ... AND... I LOVE YOU.
?
MAIS NON ?!
C'EST PAS ÇA QUI EST ÉCRIT ?! C'EST FAUX !
QU'EST-CE QUI SE PASSE ?
HEUUU...
C'EST TITEUF ! IL INVENTE DES TRUCS, IL LIT PAS LA FEUILLE !
ÇA NE FAIT RIEN.
... IL DIT "I LOVE YOU" !
C'EST COMME UN JEU, ON PEUT IMPROVISER...
DO YOU LOVE ME ? YOU ARE TOO YOUNG !
HEU... NON... JE...
EN ANGLAIS !
HEU... I LOVE YOU... AND... HEU... I LOVE CHOCOLATE... GLP
GOOD !
C'ÉTAIT MA PREMIÈRE DÉCLARATION... MANQUE DE BOL, JE L'AI FAITE À LA MAÎTRESSE !
Z.

9

L'élève Ducobu 1

Titeuf 2

les jeux olympiques du neurone
VOICI VOS DICTÉES CORRIGÉES. MENTION SPÉCIALE À ROMUALD QUI A FAIT UN ZÉRO-FAUTE ... LES AUTRES, C'EST PAS BRILLANT.
TITEUF : 34 FAUTES.
MAÎTRESSE ! ÇA COMPTE PÔ !! C'EST PLUS FACILE POUR LUI PARCE QU'IL EST MALFORMÉ DU CERVEAU !!
C'EST PAS DE MA FAUTE SI LE TIEN A LA TAILLE D'UN PETIT POIS...
BEN AU MOINS, UN PETIT POIS, C'EST UN LÉGUME ... ET LES LÉGUMES ÇA DONNE DES VITAMINES !
... PÔ COMME D'AUTRES !
EN FAIT, C'EST PLUS PRÉCISÉMENT UNE GRAINE... ET NON UN LÉGUME.
J'VAIS LUI FAIRE BOUFFER SON DICTIONNAIRE !!
J'M'ÉNERVE AVEC SON GROS Q.I. !!
LAISSE TOMBER.
AU MOINS, TOI, TU PEUX PROGRESSER... LUI, IL EST DÉJÀ AU SOMMET DE SA CARRIÈRE
AH OUAIS ! C'EST VRAI, ÇA !
ÇA, C'ÉTAIT UN ÉCHAUFFEMENT ! LA PROCHAINE FOIS, JE FERAI 33 FAUTES, ENSUITE 32, 31, 30 ... DE PLUS EN PLUS FORT !!
TU VOIS !
JE VAIS DEVENIR UN ATHLÈTE DU Q.I. !
HEUREUSEMENT QU'Y A MANU ! ... IL A LE SENS DE LA COMPÉTITION !
PRÉPAREZ LES MÉDAILLES !!
... DOMMAGE QUE MES PARENTS AIENT PÔ DU TOUT L'ESPRIT SPORTIF.

11

L'élève Ducobu 2

12

Les Profs 2

13

Titeuf 3

14

L'ESPRIT DU JEU
BON... ALORS, QUESTION BRUNE : QUI A ÉCRIT LE CORBEAU ET LE RENARD ?
HEU...
MOI JE SAIS ! C'EST LA FONTAINE !!
ÇA Y EST ! JE LE SAVAIS !
UN POINT DE PLUS.
ÇA COMPTE PÔ ! C'ÉTAIT PAS À TOI DE RÉPONDRE !
ET PIS D'ABORD C'ÉTAIT DE LA FONTAINE !
PFFF
COOL... C'EST QU'UN JEU.
À TOI... QUESTION BLEUE... "LE NIL" ?
HEU ?
POF
MAIS C'EST PAS VRAI !? T'ES UN DÉBILE TOTAL !! TU AS LU LA RÉPONSE !!
AH TIENS ? OUAIS... ALORS... QUEL FLEUVE COULE EN ÉGYPTE ?
...
TU VIENS DE LE DIRE !!! C'EST LE NIL !!!
ÇA VA... LÂCHE-MOI LE SLIP... C'EST QU'UN JEU...
'TOUTES FAÇONS T'AS PAS DE POINT, MANU AVAIT DONNÉ LA RÉPONSE...
À MOI ... SIX !
ÇA COMPTE PÔ ! LE DÉ EST SORTI DU JEU !!
ÇA VA PAS ?
CALME-TOI...
J'SUIS TRÈS CALME, MAIS VOUS FAITES QUE TRICHER DEPUIS LE DÉBUT !!
MOI ? JE TRICHE ?
MOI, JE TRICHE ?
J'AI FAIT SIX, C'EST TOUT.
TIENS ! AVANCE DE SIX !!!
ARRÊTE !
ON A PAS NOTÉ NOS PLACES !!
BAM
ALORS ? QUI A GAGNÉ ?
BÔH... TU SAIS, C'EST QU'UN JEU...
Z.

L'élève Ducobu 3

15

Titeuf 4

LA LEÇON DE POÉSIE
T'ES PRÊT ?
OUAIS. VAS-Y
PETITE FLEUR AU BORD DU CHEMIN …
SENTIER
QUOI "CHEMIN-SENTIER" ?
C'EST PAS "CHEMIN", C'EST "SENTIER"
"PETITE FLEUR AU BORD DU SENTIER"
BON. "PETITE FLEUR, AU BORD DU SENTIER, TU DONNES DU BONHEUR
LE.
QUOI ? "LE" ??
"TU DONNES LE BONHEUR"
C'EST ÉCRIT "LE"
T'AS QU'À TE CONCENTRER
COMMENT JE PEUX ME CONCENTRER SI TU M'INTERROMPS TOUT LE TEMPS !?
T'AVAIS QU'À APPRENDRE TON POÈME.
MOI, LE MIEN, JE LE SAIS.
BON ! "PETITE FLEUR AU BORD DU SENTIER TU DONNES LE BONHEUR ET LA GAIETÉ
GAIPÉ.
"GAIPÉ" !? ÇA VEUT RIEN DIRE "GAIPÉ" !
C'EST TOI… T'AS ÉCRIT "GAIPÉ"…
C'EST PAS ÉCRIT "GAIPÉ" !… C'EST GAIETÉ" !!
ÉVIDEMMENT, SI T'ÉCRIS COMME UN COCHON
FAUT CHANGER TES LUNETTES
MES LUNETTES VONT TRÈS BIEN, C'EST JUSTE TOI QUI SAIS PAS TON POÈME !
JE SAIS PAS MON POUÈME ?
MOI ?
PETITE FLEUR AU BORD DU SENTIER TU DONNES LE BONHEUR ET LA GAIETÉ BINOCLOS À LA CON !
PÔV' TYPE !
QU'EST-CE QUE VOUS FAITES, LES ENFANTS ??
DE LA POÉSIE !!
BON.. BON..

Nous parlons **français!**

Tu te prépares à parler français en groupe.

» Regardez les extraits de la revue aux pages 6 et 7.

» Lisez les situations.
» Ecoutez les dialogues 1 à 6.
» Notez les numéros correspondants.

2–7

Travailler ensemble
Deux élèves décident de travailler ensemble.

1 **Ecrire un SMS**
Un copain écrit un SMS en cours de maths. Drôle d'idée!

Comparer les réponses
A la fin du cours, les élèves comparent les réponses d'un quiz.

Expliquer
Une fille explique à son voisin ce qu'il faut faire.

Regarder une photo
Deux élèves regardent une photo.

Jouer au jeu
Deux élèves jouent au jeu «Plonk et Replonk».

» Comparez les résultats.

Le numéro… correspond à «…».

J'ai la même chose.

J'ai autre chose.

Activité A

Voici d'autres situations de communication.
Qu'est-ce qu'on pourrait dire à ces moments-là?
» Inventez des petits dialogues.
Les pages 6 et 7 et la revue («Nous parlons français!») peuvent vous aider.

La revue comme ouvrage de référence
Die *revue* als Nachschlagewerk

Nutze die *revue* als Nachschlagewerk.

Salut! Ça va?
...

Ça va bien.
Et toi?
...

Se saluer
Le matin, tu entres dans la salle de classe et tu t'assieds à côté de ton voisin/ta voisine.

Déranger
Ton voisin/Ta voisine te dérange.

S'énerver
Tu t'énerves parce que tu as oublié ton portable à la maison.

Jouer au jeu
Tu joues avec ton/ta partenaire à un jeu de cartes.

Tu veux me rendre un service?
Lis le texte, s'il te plaît.
C'est correct?
...

Présenter quelque chose
Tu as préparé un texte pour le présenter aux autres.
Tu commences ta présentation.

Relire
Tu as écrit un brouillon.
Tu le fais relire à ton/ta partenaire.

Oui, bien sûr.
Qu'est-ce que ça veut dire?
Ça me plaît.
...

Donner son avis
Tu donnes ton avis sur un groupe de musique.

Se présenter
Tu te présentes à quelqu'un qui est nouveau/nouvelle dans ta classe.

Lire
Vous lisez un texte.

Qu'est-ce que c'est en allemand «...»?
...

Je pense que c'est «...».
...

...

» Applique la stratégie «Parler français ensemble» aussi souvent que possible.
Les idées à la page 42 peuvent t'aider.

Est-ce que tu arrives à parler français en cours?
» Fais un bilan chaque fin de semaine.
Utilise le formulaire à la page 41.

Parler français ensemble
Untereinander französisch sprechen

Nutze beim Arbeiten und Spielen möglichst viele Gelegenheiten, um französisch zu sprechen.

chaque fin de semaine
jeweils am Ende der Woche

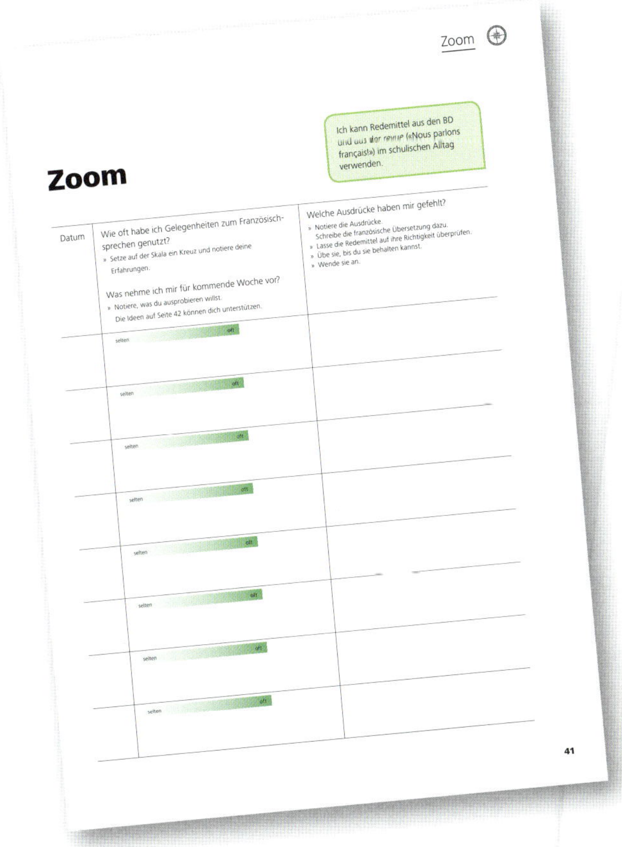
Zoom

Zoom

Ich kann Redemittel aus den BD und aus der revue («Nous parlons français!») im schulischen Alltag verwenden.

Datum	Wie oft habe ich Gelegenheiten zum Französischsprechen genutzt? » Setze auf der Skala ein Kreuz und notiere deine Erfahrungen. Was nehme ich mir für kommende Woche vor? » Notiere, was du ausprobieren willst. Die Ideen auf Seite 42 können dich unterstützen.	Welche Ausdrücke haben mir gefehlt? » Notiere die Ausdrücke. Schreibe die französische Übersetzung dazu. » Lasse die Redemittel auf ihre Richtigkeit überprüfen. » Übe sie, bis du sie behalten kannst. » Wende sie an.
	selten – oft	
	selten – oft	
	selten – oft	
	selten – oft	
	selten – oft	
	selten – oft	
	selten – oft	
	selten – oft	

41

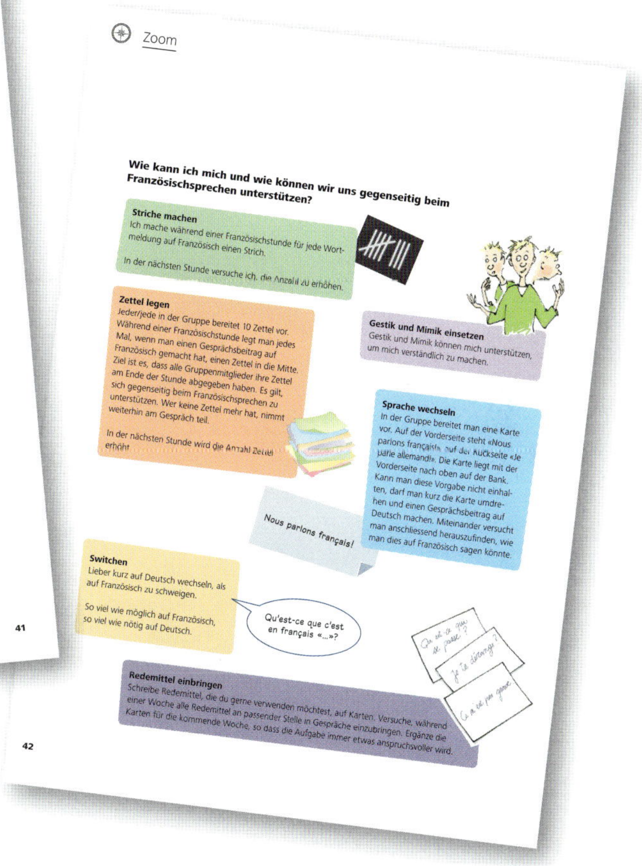
Zoom

Wie kann ich mich und wie können wir uns gegenseitig beim Französischsprechen unterstützen?

Striche machen
Ich mache während einer Französischstunde für jede Wortmeldung auf Französisch einen Strich.
In der nächsten Stunde versuche ich, die Anzahl zu erhöhen.

Gestik und Mimik einsetzen
Gestik und Mimik können mich unterstützen, um mich verständlich zu machen.

Zettel legen
Jeder/jede in der Gruppe bereitet 10 Zettel vor. Während einer Französischstunde legt man jedes Mal, wenn man einen Gesprächsbeitrag auf Französisch gemacht hat, einen Zettel in die Mitte. Ziel ist es, dass alle Gruppenmitglieder ihre Zettel am Ende der Stunde abgegeben haben. Es gilt, sich gegenseitig beim Französischsprechen zu unterstützen. Wer keine Zettel mehr hat, nimmt weiterhin am Gespräch teil.
In der nächsten Stunde wird die Anzahl Zettel erhöht.

Sprache wechseln
In der Gruppe bereitet man eine Karte vor. Auf der Vorderseite steht «Nous parlons français!», auf der Rückseite «Je parle allemand!». Die Karte liegt mit der Vorderseite nach oben auf der Bank. Kann man diese Vorgabe nicht einhalten, darf man kurz die Karte umdrehen und einen Gesprächsbeitrag auf Deutsch machen. Miteinander versucht man anschliessend herauszufinden, wie man dies auf Französisch sagen könnte.

Switchen
Lieber kurz auf Deutsch wechseln, als auf Französisch zu schweigen.
So viel wie möglich auf Französisch, so viel wie nötig auf Deutsch.

Redemittel einbringen
Schreibe Redemittel, die du gerne verwenden möchtest, auf Karten. Versuche, während einer Woche alle Redemittel an passender Stelle in Gespräche einzubringen. Ergänze die Karten für die kommende Woche, so dass die Aufgabe immer etwas anspruchsvoller wird.

42

» Echangez vos observations de temps en temps.

Activité **B**

Bienvenue dans le **monde des BD**

Tu regardes des personnages de BD. Tu lis et tu écoutes des histoires qui se déroulent à l'école.

Kiki et Aliène, Boule et Bill, Astérix…

Qui sont ces personnages?
» Regardez les silhouettes. Discutez.
» Notez les numéros correspondants à côté des noms.

Ça c'est…

Je pense que c'est…

C'est peut-être…

1

Boule et Bill

2

3

Tintin et Milou

Boulard (Les Profs)

Titeuf

Astérix

Ducobu

4

5

1 Lucky Luke

7

Schtroumpf

6

8

Kiki et Aliène

Quel personnage manque?
» Regardez les solutions à la page 48.

Qui sont les personnages de BD dans ce magazine?
» Regardez aux pages 12 à 20.

Lire des BD, c'est fastoche!
La taille des lettres, la forme des bulles, les couleurs, les sons et les signes, la mimique et les gestes des personnages donnent beaucoup d'informations.

Images
Bilder
Voix
Stimme
Noms et nombres
Namen und Zahlen
Vocabulaire connu et mots parallèles
Bekannter Wortschatz und Parallelwörter
Deviner
Raten
Dictionnaires (en ligne)
(Online-)Wörterbücher

» Choisissez une BD aux pages 12 à 20.

» Lisez et écoutez-la. Appliquez les stratégies.
Vous pouvez aussi consulter les boîtes de traduction aux pages 44 et 45.

8–16

» Clarifiez vos questions.

Tu piges?

Oui.

Non.
Pas tout à fait.
Nicht ganz.

Qu'est-ce que ça veut dire «…»?

En allemand, c'est…

» Continuez avec au moins 2 autres BD.

As-tu noté tes observations et tes résolutions pour parler français ensemble dans le zoom à la page 41?

Activité **C**

Fastoche!

Tu reprends des phrases de BD pour parler français en groupe.

BD comme modèle pour le langage parlé
BD als Modell für Alltagssprache

Übernimm Ausrufe, kurze Sätze und Redewendungen aus den BD und verwende sie in Alltagsgesprächen.

Tu connais déjà beaucoup d'expressions pour parler français en groupe. Tu les trouves dans la revue. En voici d'autres.

17–23

» Lisez et écoutez les expressions.
Vous pouvez écouter toutes les expressions de la revue si vous voulez.

Se présenter
(revue page 11)

Je me présente: Je suis…
Ich stelle mich vor: Ich bin …

Enchanté/Enchantée! Moi, c'est…
Freut mich! Ich bin …

Clarifier
(revue page 9)

C'est écrit «…».
Es steht «…».

Je t'explique.
Ich erkläre es dir.

Jouer aux jeux
(revue page 12)

Qui a gagné?
Wer hat gewonnen?

Ce n'est qu'un jeu.
Es ist nur ein Spiel.

Ça ne compte pas.
Das gilt nicht.

On ne triche pas.
Es wird nicht geschummelt.

Remonter le moral
(revue page 12)

Laisse tomber!
Vergiss es!

Courage!
Kopf hoch!

Ne t'en fais pas.
Mach dir nichts draus.

Calme-toi!
Beruhige dich!

Ce n'est pas grave.
Das ist nicht schlimm.

Téléphoner

(revue page 9)

Allô?
Hallo?

Un instant!
Augenblick!

Je t'entends mal.
Ich höre dich schlecht.

Je te rappelle.
Ich rufe dich zurück.

Je te laisse mon numéro de portable.
Ich gebe dir meine Handynummer.

À la semaine prochaine!
Bis nächste Woche!

24–30

S'exclamer

(revue page 8)

Fastoche!
Einfach!

J'en ai marre!
Ich habe es satt!

Donner son avis

(revue pages 10 et 11)

C'est trop fort.
Das ist wirklich toll.

J'adore…
Ich mag … sehr gern.

Cela ne veut rien dire.
Das hat nichts zu bedeuten.

Poser des questions/Donner des réponses

(revue page 7)

On a cours de quoi? Welches Fach haben wir?	maths, informatique, histoire, géo Mathe, Informatik, Geschichte, Geo
Qu'est-ce que vous faites? Was macht ihr?	
Tu es prêt?/Tu es prête? Bist du bereit?	
Qu'est-ce qui se passe? Was ist los?	
Je te dérange? Störe ich dich?	Non, pas du tout. Nein, überhaupt nicht.

Activité C

» Mémorise les expressions des pages 26 et 27.

» Choisis d'autres expressions pour ton vocabulaire personnel. Note-les dans la revue.

» Créez des dialogues à l'ordinateur pour vous entraîner à utiliser les expressions.
  » Choisissez des bulles à tour de rôle.
  » Ecoutez le dialogue.
  » Lisez-le à haute voix.

» Continuez avec d'autres dialogues.

La revue comme ouvrage de référence
Die *revue* als Nachschlagewerk

Nutze die *revue* als Nachschlagewerk.

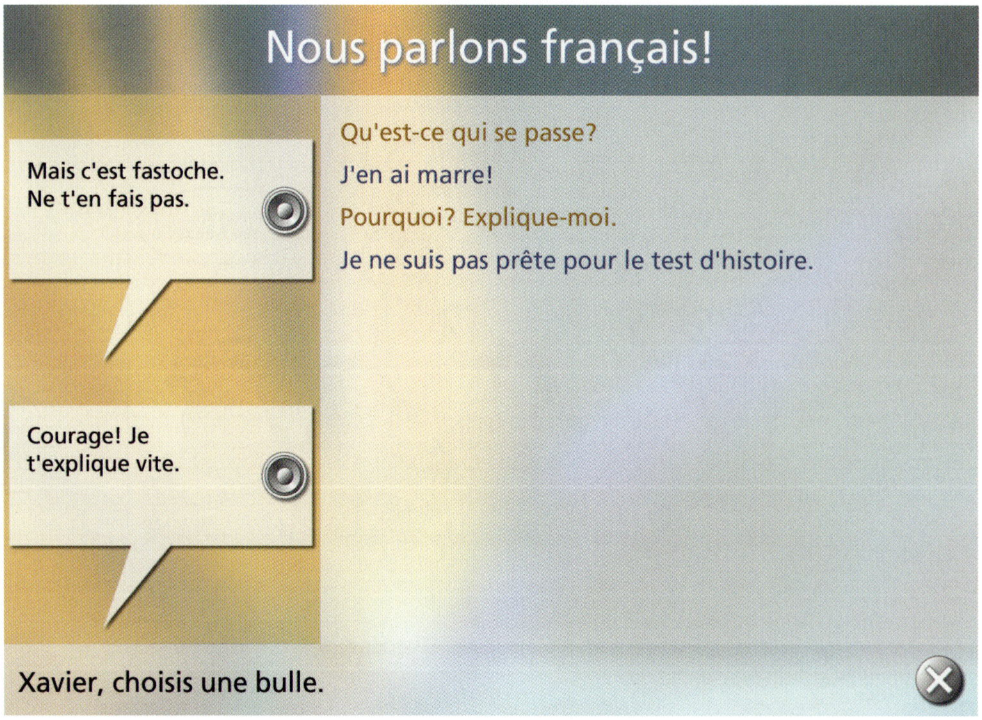

» Utilisez les expressions «Nous parlons français!» aussi souvent que possible.

Parler français ensemble
Untereinander französisch sprechen

Nutze beim Arbeiten und Spielen möglichst viele Gelegenheiten, um französisch zu sprechen.

As-tu noté tes observations et tes résolutions pour parler français ensemble dans le zoom à la page 41?

Parcours BD

En 1993, la Ville de Bruxelles a commencé de peindre des murs en hommage aux héros de bandes dessinées. Un parcours BD permet de passer d'une fresque murale à l'autre. Une occasion de découvrir ces dessinateurs de BD et leurs personnages.

Tu trouves des photos de toutes les fresques sur le site www.bruxelles.be/artdet.cfm/5316

Activité **D**

Parler fort ou doucement?

Tu découvres différentes expressions de voix.
Tu choisis une BD que tu lis aux autres.

Tu piges ?

» Lisez toutes les consignes de cette activité.
La revue peut vous aider à comprendre.

» Discutez ce qu'il faut faire.

Il faut...

Je pense qu'il faut...

D'abord, on doit...

Ensuite, il faut...

A la fin, on doit...

Il faut.../On doit...
lire
écouter
échanger
reprendre
préparer
distribuer
répéter
varier
chercher
utiliser
changer

C'est le ton qui fait la musique!

31

Comment parlent les personnages dans les extraits de BD?

» Lisez et écoutez les expressions dans la case.

» Echangez vos hypothèses.

Je pense qu'il/qu'elle...

A mon avis, il/elle...

Peut-être qu'il/qu'elle...

parle fort	spricht laut
parle sur un ton agressif	spricht in aggressivem Ton
crie	brüllt
s'énerve	regt sich auf
bavarde	plaudert
parle doucement	spricht leise
chuchote	flüstert
bafouille	stammelt
pose une question	stellt eine Frage
...	

» Ecoutez les extraits pour vérifier vos hypothèses. (32)

» Reprenez une BD qui vous plaît. (8–16)
  » Lisez et écoutez-la une 2e fois.

» Préparez la lecture à haute voix.
  » Distribuez les rôles.
  » Ecoutez et répétez chaque bulle à haute voix.
  » Variez la voix.
  Cherchez l'expression qui va bien avec votre rôle.

» Lisez l'histoire à un autre groupe.

» Utilisez la grille à la page 43 pour vous évaluer.

» Changez de groupe.

reprenez
nehmt noch einmal
variez
variiert

Expression de la voix
Ausdruck der Stimme

Variiere deine Stimme, um den Inhalt von Aussagen zu verdeutlichen.

As-tu noté tes observations et tes résolutions pour parler français ensemble dans le zoom à la page 41?

Activité **E**

Tchô

Tu fais la connaissance du Genevois Philippe Chappuis, alias Zep, qui a inventé Titeuf. Tu découvres des petits mots qu'on utilise pour combler un blanc.

Zep a publié beaucoup d'albums «Titeuf», traduits dans plus de 25 langues. Comment fait-il pour trouver des idées? S'agit-il de ses souvenirs d'enfance? Les personnages sont-ils réels?

» Regardez le film.

33

» Lisez et écoutez les extraits du film.

Commentatrice:
«En observant bien Titeuf, on retrouve le petit Philippe Chappuis.»

Zep:
«...à écouter cette rumeur de cour d'école. Et c'est là où m'est revenue ma propre enfance.»
cette rumeur
dieser Lärm
ma propre enfance
meine eigene Kindheit

Commentatrice:
«Comme beaucoup de personnages de la BD, elle* a connu Zep enfant dans la cité d'Onex.»
*Nadia
Onex
ville à 4 km de Genève

Zep:
«Je fais d'autres albums mais j'ai toujours besoin de revenir à Titeuf.»

Nadia:
«...avec son étoile dorée de Lucky Luke. C'était une de ses bandes dessinées favorites.»

Commentatrice:
«Titeuf est le livre en français le plus vendu au monde.»

Voici le numéro...

J'ai la même chose.

J'ai autre chose.

» Regardez le film une 2e fois. Entendez-vous les extraits?
» Numérotez les cases dans l'ordre chronologique.
» Comparez vos solutions.

Zep et Nadia utilisent beaucoup de petits mots pour combler un blanc.
» Lisez les petits mots en rouge dans les bulles et les traductions dans la boîte.

Bon, j'avais une image...

...j'avais mon atelier ici et **donc** je me prenais des moments comme ça à ma fenêtre **euh**...

...et **hein bof voilà** tout ça...

Et **puis, eh, ben** je suis juste là avec mes jolies couettes et **puis** voilà Dumbo et **euh**...

Entendez-vous ces petits mots pour combler un blanc?
» Regardez l'extrait et faites un trait à chaque fois que vous en entendez un.

//

Combler un blanc
Füllwörter verwenden

Verwende Füllwörter, um Sprechpausen zu überbrücken und um beim Sprechen natürlich zu wirken.

Voici d'autres petits mots pour combler un blanc.
» Lisez et écoutez-les.

34

- pour faire court... – um es kurz zu machen
- du coup... – darum, daher
- en fait... – eigentlich
- alors... – also, nun
- disons... – sagen wir
- enfin... – schliesslich
- bref... – kurzum
- mais... – aber

donc	also, doch
euh	äh, hm
bon	gut, schön
hein	nicht wahr, hä
bof	na ja, pff
voilà	natürlich, also
puis	dann, so
ben	nun, also

» Créez un petit dialogue non-sens uniquement avec ces mots. Variez la voix.

As-tu noté tes observations et tes résolutions pour parler français ensemble dans le zoom à la page 41?

Le Chat

Philippe Geluck, né à Bruxelles, a inventé «Le Chat».
Il dit de son héros: «En fait, c'est un autre moi-même.»

Il est où **mon livre?**

Tu découvres les adjectifs possessifs à l'aide de grammaires de référence.
Tu apprends à les utiliser.

» Ecoutez les adjectifs possessifs.

35

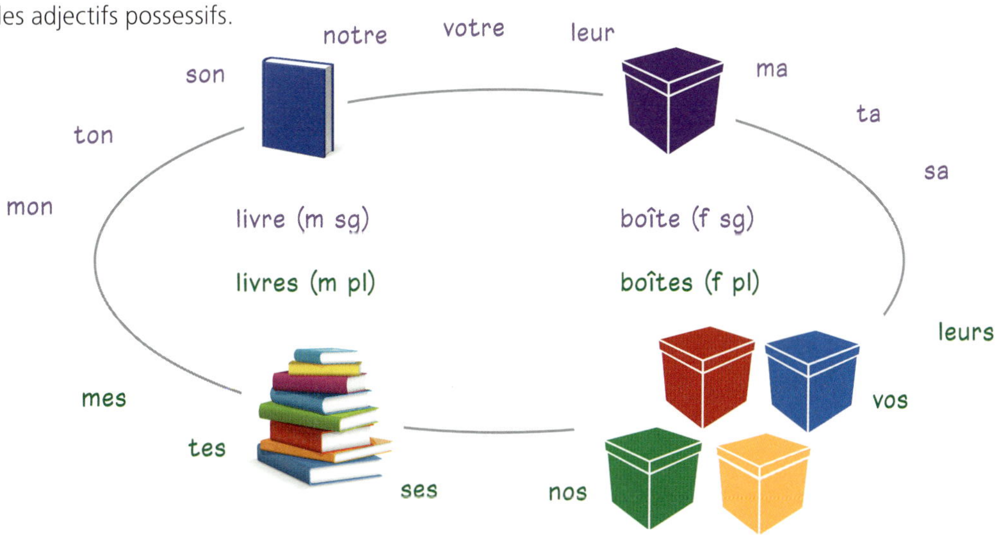

» Choisissez une des grammaires de référence aux pages 46 et 47.
Complétez les cases.

Grammaire de référence
Referenzgrammatik

Schlage Grammatikthemen in einer Referenzgrammatik nach.

ton livre dein Buch	.... unser Buch	.... meine Schachtel
.... eure Schachtel	.... sein Buch/ihr Buch	.... mein Buch
.... deine Schachtel	leur livre ihr Buch	sa boîte seine Schachtel/ihre Schachtel

.... meine Bücher	.... deine Schachteln	.... eure Bücher
.... unsere Schachteln	ses livres seine Bücher/ihre Bücher	leurs boîtes ihre Schachteln

Activité **F**

nos ta ma notre ton tes son leurs

» Regardez les solutions à la page 48.

» Expliquez les règles.

Pour en savoir plus, tu peux…
- lire le chapitre complet «Possessivbegleiter» dans la «mini-grammaire».
- chercher «sprachenlernen24 französisch possessivpronomen» sur Internet.
- chercher «lingolia possessivbegleiter» sur Internet.

» Entraîne-toi à employer les adjectifs possessifs à l'ordinateur.

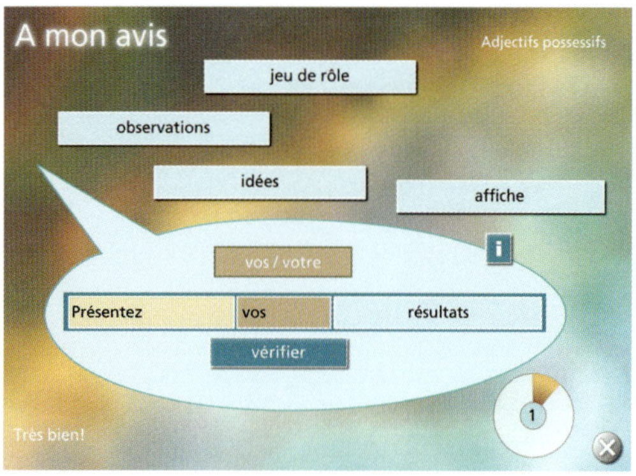

Vokal am Wortanfang

Wenn das Nomen mit einem Vokal beginnt, werden **ma, ta, sa** zu **mon, ton, son.**

une école	mon école
une image	ton image
une affiche	son affiche

» Ecris des phrases avec différents adjectifs possessifs. La rubrique «consignes» dans la revue peut t'aider à comprendre les verbes.

La revue comme ouvrage de référence
Die *revue* als Nachschlagewerk

Nutze die *revue* als Nachschlagewerk.

Avance…	J'imite…
Nous chantons…	Lisez…
Je cherche…	Montre-moi…
Tu colles…	Elles prennent…
Je contrôle…	Présente…
Ils corrigent…	Il rajoute…
Nous décrivons…	Je récite…
Je distribue…	Répétez…
Echangez…	Elle résume…
Nous esquissons…	Retravaille…
Ils dessinent…	Vérifie…

…prononciation (f)	…texte (m)
…symbole (m)	…rôles (pl)
…pion (m)	…compréhension (f)
…invention (f)	…cartes (pl)
…affiche (f)	…idées (pl)
…portrait (m)	…chanson préférée (f)
…dictionnaire (m)	…magazine (m)
…expressions (pl)	…photos (pl)
…voix (f)	…machines (pl)
…poésie (f)	…textes (pl)

Nous chantons notre chanson préférée.

Échangez vos textes.

» Fais corriger tes phrases.

» Note tes découvertes dans la revue.

As-tu noté tes observations et tes résolutions pour parler français ensemble dans le zoom à la page 41?

Tâche

Ben **quoi?**

Tu crées des scènes pour des situations en groupe. Tu les présentes.

» Imaginez une scène. Ces situations peuvent vous aider à trouver une idée.

Déranger
Stören
Ton voisin/Ta voisine te dérange pendant le cours.

Nouveau/Nouvelle
Tu es nouveau/nouvelle dans la classe.

Corriger
Tu corriges un texte de ton voisin/ta voisine.

Jeu
Vous jouez à un jeu.

Copier
Abschreiben
Ton voisin/Ta voisine copie sur toi.

Portable
Ton portable sonne en classe.

Amoureux/Amoureuse
Verliebt
Tu es amoureux/amoureuse de ton copain/de ta copine.

Remonter le moral
Mut machen
Ton ami/Ton amie a une mauvaise journée.

En retard
Zu spät
Tu arrives en retard.

SMS
Ton voisin/Ta voisine veut écrire un SMS sur ton portable pendant le cours.

Stressé
Vous faites une présentation. Vous êtes stressés/stressées.

Pas de prof
Keine Lehrperson
Le/La prof n'est pas là.

Interroger
Abfragen
Tu interroges ton voisin/ta voisine.

Araignée
Spinne
Il y a une grosse araignée sur votre table.

Les critères
- Die Szene ist nachvollziehbar und ausgestaltet.
- Der Wortschatz, den du verwendest, ist passend.
- Du verwendest Füllwörter.
- Deine Aussprache ist korrekt.
- Du gestaltest deine Rolle überzeugend. Du sprichst ausdrucksvoll. Du setzt Mimik und Gestik ein.

» Regardez les critères.

» Créez un dialogue pour jouer la scène.

» Prenez des notes.
La revue et les activités A et C peuvent vous aider.

» Continuez avec une 2e scène.

Encore une scène?
» Continuez.

Tâche

Pense-bêtes
Spick-Notizen

Notiere Sätze, die du verwenden kannst. Wirf beim Sprechen wenn nötig einen Blick auf die vorbereiteten Sätze und wende sie an.

» Préparez la présentation de vos scènes.
  » Préparez des pense-bêtes.
  » Préparez les accessoires.
  » Répétez les dialogues.
  » Parlez d'une voix expressive.
  » Utilisez des petits mots pour combler un blanc.

une répétition générale
eine Hauptprobe

» Faites une répétition générale.

Expression de la voix
Ausdruck der Stimme

Variiere deine Stimme, um den Inhalt von Aussagen zu verdeutlichen.

Combler un blanc
Füllwörter verwenden

Verwende Füllwörter, um Sprechpausen zu überbrücken und um beim Sprechen natürlich zu wirken.

» Présentez vos scènes à un autre groupe.

Zoom

Ich kann Redemittel aus den BD und aus der *revue* («Nous parlons français!») im schulischen Alltag verwenden.

Datum	Wie oft habe ich Gelegenheiten zum Französischsprechen genutzt? » Setze auf der Skala ein Kreuz und notiere deine Erfahrungen. Was nehme ich mir für kommende Woche vor? » Notiere, was du ausprobieren willst. Die Ideen auf Seite 42 können dich unterstützen.	Welche Ausdrücke haben mir gefehlt? » Notiere die Ausdrücke. Schreibe die französische Übersetzung dazu. » Lasse die Redemittel auf ihre Richtigkeit überprüfen. » Übe sie, bis du sie behalten kannst. » Wende sie an.
	selten — oft	
	selten — oft	
	selten — oft	
	selten — oft	
	selten — oft	
	selten — oft	
	selten — oft	
	selten — oft	

Wie kann ich mich und wie können wir uns gegenseitig beim Französischsprechen unterstützen?

Striche machen
Ich mache während einer Französischstunde für jede Wortmeldung auf Französisch einen Strich.

In der nächsten Stunde versuche ich, die Anzahl zu erhöhen.

Gestik und Mimik einsetzen
Gestik und Mimik können mich unterstützen, um mich verständlich zu machen.

Zettel legen
Jeder/jede in der Gruppe bereitet 10 Zettel vor. Während einer Französischstunde legt man jedes Mal, wenn man einen Gesprächsbeitrag auf Französisch gemacht hat, einen Zettel in die Mitte. Ziel ist es, dass alle Gruppenmitglieder ihre Zettel am Ende der Stunde abgegeben haben. Es gilt, sich gegenseitig beim Französischsprechen zu unterstützen. Wer keine Zettel mehr hat, nimmt weiterhin am Gespräch teil.

In der nächsten Stunde wird die Anzahl Zettel erhöht.

Sprache wechseln
In der Gruppe bereitet man eine Karte vor. Auf der Vorderseite steht «Nous parlons français!», auf der Rückseite «Je parle allemand!». Die Karte liegt mit der Vorderseite nach oben auf der Bank. Kann man diese Vorgabe nicht einhalten, darf man kurz die Karte umdrehen und einen Gesprächsbeitrag auf Deutsch machen. Miteinander versucht man anschliessend herauszufinden, wie man dies auf Französisch sagen könnte.

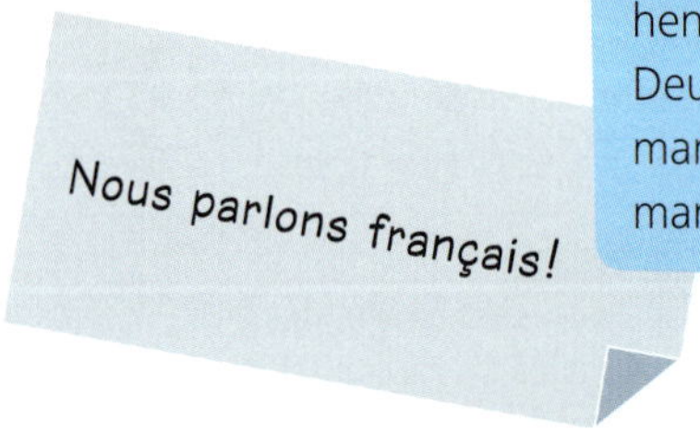

Switchen
Lieber kurz auf Deutsch wechseln, als auf Französisch zu schweigen.

So viel wie möglich auf Französisch, so viel wie nötig auf Deutsch.

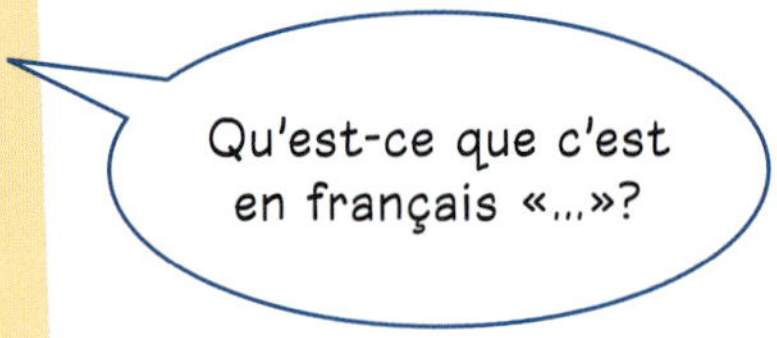

Redemittel einbringen
Schreibe Redemittel, die du gerne verwenden möchtest, auf Karten. Versuche, während einer Woche alle Redemittel an passender Stelle in Gespräche einzubringen. Ergänze die Karten für die kommende Woche, so dass die Aufgabe immer etwas anspruchsvoller wird.

Activité D page 31

Eine BD vorlesen	++	+	+/–	–
Du liest die Texte in den Sprechblasen richtig vor.				
Du gestaltest deine Rolle überzeugend. Du variierst deine Stimme, um den Inhalt von Aussagen zu verdeutlichen.				
Deine Aussprache ist korrekt.				

Tâche page 38

Punkte	**4**	**3**	**2**	**1**	**0**
Inhalt	Die Szene ist nachvollziehbar und ausgestaltet. ❒	Die Szene ist bis auf wenige Stellen nachvollziehbar und genügend ausgestaltet. ❒	Die Szene ist nur teilweise nachvollziehbar und wenig ausgestaltet. ❒	Die Szene ist schwer nachvollziehbar und kaum ausgestaltet. ❒	❒
Sprache Wortschatz	Der Wortschatz, den du verwendest, ist passend. ❒	Der Wortschatz, den du verwendest, ist meist passend. ❒	Der Wortschatz, den du verwendest, ist nur teilweise passend. ❒	Der Wortschatz, den du verwendest, ist oft unpassend. ❒	❒
Aussprache			Deine Aussprache ist korrekt. ❒	Deine Aussprache ist teilweise korrekt. ❒	❒
Füllwörter				Du verwendest Füllwörter. ❒	❒
Gestaltung, Ausdruck			Du gestaltest deine Rolle überzeugend. Du sprichst ausdrucksvoll. Du setzt Mimik und Gestik ein. ❒	Du gestaltest deine Rolle kaum. Du sprichst wenig ausdrucksvoll. Du setzt selten Mimik und Gestik ein. ❒	❒

Boîtes de traduction

Les Profs 1, page 12	
interroger	abfragen
le mien	meines
rappeler	zurückrufen
Msieu = Monsieur	Herr
appeler	anrufen
le portable	das Handy
laisser le numéro de portable	die Handynummer geben

Titeuf 1, page 13	
la déclaration (d'amour)	die Liebeserklärung
manque de bol = pas de chance	kein Glück, Pech gehabt

L'élève Ducobu 1, page 14	
fastoche = facile	leicht, einfach
cuire	kochen
piéger	reinlegen
le lièvre aguerri	der kampferprobte Hase
je déjouerai vos collets	ich werde den Kopf aus der Schlinge ziehen
copier sur…	bei … abschreiben

Titeuf 2, page 15	
le mention	der Vermerk
pô = pas	nicht
le cerveau	das Hirn
la taille	die Grösse
le petit-pois	die Erbse
le légume	das Gemüse
la graine	der Samen
bouffer = manger	essen
progresser	Fortschritte machen
le sommet	der Gipfel
l'échauffement (m)	das Aufwärmen
le Q.I.	der IQ (Intelligenz-quotient)
la compétition	der Wettbewerb

L'élève Ducobu 2, page 16	
l'interrogation (f)	*hier:* der Test
la justice	die Gerechtigkeit
la précipitation	die Hast, die Eile
ne pas faire bon ménage	nicht gut miteinander auskommen
impérial/-e	kaiserlich
impartial/-e	unparteiisch
le chiffre	die Ziffer, die Zahl
supposer	vermuten
au demeurant	übrigens
le calcul	die Rechnung
de mieux en mieux	immer besser
Confiez votre champ de blé à votre âne, vous récolterez des chardons!	*Pseudo-Weisheit:* Vertrauen Sie Ihr Weizenfeld einem Esel an, und Sie werden Disteln ernten.

Les Profs 2, page 17	
le cours	das Fach
l'emploi du temps (m)	der Stundenplan
repeindre le plafond	die Decke neu streichen
l'escabeau (m)	der Schemel
le col du fémur cassé	der gebrochene Oberschenkel
rare	selten
oublier	vergessen
la matière	das Fach
enseigner	unterrichten

Titeuf 3, page 18	
le corbeau et le renard	der Rabe und der Fuchs, *Titel einer Fabel*
La Fontaine	*Name des Dichters*
pô = pas	nicht
répondre	antworten
la réponse	die Antwort
Lâche-moi le slip!	Rutsch mir doch den Buckel runter!
tricher	schummeln, falsch spielen

L'élève Ducobu 3, page 19	
refuser	ablehnen
le copieur	der Abschreiber
fluet/-te	zart, flötend
Cela ne te dérange pas si…?	stört es dich nicht, wenn …?
au contraire	im Gegenteil
RanXerox	*Kopiermaschine von der Marke Xerox*
occupé/-e	besetzt
s'adapter	sich anpassen
sévère	streng
Ne t'en fais pas!	Mach dir nichts draus!
souffler les réponses	die Antworten zuflüstern
quelle veine! = Quelle chance!	Welch ein Glück!
dégager	*hier:* freilegen, herausziehen
la canine	der Eckzahn

Titeuf 4, page 20	
prêt/-e	bereit
au bord du chemin	am Wegrand
le sentier	der Pfad
le bonheur	das Glück
interrompre quelqu'un	jemanden unterbrechen
la gaieté	die Fröhlichkeit
pôv' = pauvre	arm

Possessivbegleiter
Adjectif possessif

m sg		f sg		pl	
mon poème	mein Gedicht	**ma** classe	meine Klasse	**mes** copains	meine Freunde
ton poème	dein …	**ta** classe	deine …	**tes** copains	deine …
son poème	sein / ihr …	**sa** classe	seine / ihre …	**ses** copains	seine / ihre …
notre poème	unser …	**notre** classe	unsere …	**nos** copains	unsere …
votre poème	euer …	**votre** classe	eure …	**vos** copains	eure …
leur poème	ihr …	**leur** classe	ihre …	**leurs** copains	ihre …

Der Possessivbegleiter steht vor dem Nomen und gibt an, zu wem etwas gehört. Er richtet sich in Geschlecht und Zahl nach dem Nomen, das er begleitet.

66

Ma wird zu ***mon***, wenn das darauffolgende Nomen mit einem Vokal oder in manchen Fällen mit einem ***h***- beginnt.

C'est **mon** école. — Das ist **meine** Schule.
Ton histoire me plaît. — **Deine** Geschichte gefällt mir.

44

Anders als im Deutschen spielt das Geschlecht der Person, zu der etwas gehört, in der 3. Person Singular keine Rolle.

seine / **ihre** Karriere — **sa** carrière
sein / **ihr** Gedicht — **son** poème
seine / **ihre** Bücher — **ses** livres

Possessivpronomen als Begleiter

Possessivbegleiter (auf Französisch: *l'adjectif possessif*) stehen immer vor einem Nomen (sie werden von einem Nomen „begleitet"). Possessivbegleiter stimmen in Geschlecht und Zahl mit dem sogenannten Besitz überein. Die Pluralform für maskulin und feminin ist gleich.

Beispiel: Je cherche mon chapeau.
Elle cherche son chapeau.

Person	maskulin	feminin	plural
1. Person Singular	mon	ma	mes
2. Person Singular	ton	ta	tes
3. Person Singular	son	sa	ses
1. Person Plural	notre	notre	nos
2. Person Plural	votre	votre	vos
3. Person Plural	leur	leur	leurs

Beachte

Vor Vokal oder stummem *h* werden *ma, ta, sa* zu *mon, ton, son*.

Beispiel: Je cherche ~~ma~~ amie.
Je cherche mon amie.

lingolia

Französische Grammatik: Das Possessivpronomen

Possessivpronomen werden verwendet, um ein Besitzverhältnis (eventuell eine Verbindung, Zusammengehörigkeit, Zuordnung) zu kennzeichnen: Das Possessivpronomen stimmt mit dem Substantiv, auf das es sich bezieht, in Numerus und Genus überein. Im Unterschied zum Deutschen wird das Possessivpronomen in der 3. Person im Genus nur an das Bezugswort angeglichen und nicht auch noch an den Genus des Besitzers. Die im Deutschen vorhandene Unterscheidung in *sein Kater/ ihr Kater* oder *seine Maus/ ihre Maus* fällt im Französischen weg. Dort gibt es nur die Unterscheidung in *son chat* (sein/ ihr Kater) oder *sa souris* (seine/ ihre Maus). Ob der Besitzer des Katers oder der Maus weiblich oder männlich ist, wird im Französischen nicht über das Pronomen ausgesagt.

Personalpronomen		**Possessivpronomen**			
		Singular		Plural	
je	ich	**mon, ma**	mein, meine	**mes**	meine
tu	du	**ton, ta**	dein, deine	**tes**	deine
il, elle, on	er, sie, es	**son, sa**	sein, ihr, seine, ihre	**ses**	seine, ihre, seine
nous	wir	**notre**	unser	**nos**	unsere
vous	ihr	**votre**	euer	**vos**	eure
ils, elles	sie	**ses**	seine, ihre	**leurs**	ihre

sprachenlernen24.de

Solutions

Activité B page 24

1 Lucky Luke
2 Astérix
3 Ducobu
4 Boule et Bill
5 Kiki et Alliène
6 Schtroumpf
7 Tintin et Milou
8 Boulard (Les Profs)

Quel personnage manque? Titeuf

Activité F page 35

ton livre
dein Buch

notre livre
unser Buch

ma boîte
meine Schachtel

votre boîte
eure Schachtel

son livre
sein Buch/ihr Buch

mon livre
mein Buch

ta boîte
deine Schachtel

leur livre
ihr Buch

sa boîte
seine Schachtel/ihre Schachtel

mes livres
meine Bücher

tes boîtes
deine Schachteln

vos livres
eure Bücher

nos boîtes
unsere Schachteln

ses livres
seine Bücher/ihre Bücher

leurs boîtes
ihre Schachteln

Bruxelles

Bruxelles est la capitale de la Belgique. Elle se situe au cœur de l'Europe et accueille aussi le Parlement européen. En Belgique, il y a trois langues officielles: le néerlandais, le français et l'allemand.

Dans leur chanson BRUXELLES PLURIELLE, AKRO et Julie Rens parlent du Manneken-Pis et de l'Atomium.

Le Manneken-Pis est la fontaine la plus célèbre de Bruxelles. La statuette existe depuis 1619. Le garçon change souvent de costume. Parfois il est habillé en Obélix, en Christophe Colomb, en footballeur, en père Noël…

L'Atomium est réalisé en 1958, à l'occasion de l'Exposition Universelle de Bruxelles. L'Atomium représente les 9 atomes qui constituent un cristal de fer, agrandi 165 milliards de fois. Le monument fait 102 mètres de haut et offre un panorama à 360°.

Fans de bande dessinée? Vous n'allez pas être déçus! Bruxelles est la capitale de la bande dessinée. Plusieurs musées, galeries, marchés, festivals et magasins spécialisés lui sont consacrés. Une activité étonnante est le fameux parcours BD.

La Fête de la Bande Dessinée a lieu depuis 2010. Sur la Place Royale, il y a un spectacle sons et lumières en 3D et la Balloon's Day Parade. Il s'agit d'une parade composée de fanfares et de ballons gonflés à l'hélium de plus de 20 mètres de haut.

Audiotracks

Track	Texte
1.	Bruxelles plurielle (Chanson)
2.	Dialogue 1
3.	Dialogue 2
4.	Dialogue 3
5.	Dialogue 4
6.	Dialogue 5
7.	Dialogue 6
8.	Les Profs 1
9.	Titeuf 1
10.	L'élève Ducobu 1
11.	Titeuf 2
12.	L'élève Ducobu 2
13.	Les Profs 2
14.	Titeuf 3
15.	L'élève Ducobu 3
16.	Titeuf 4
17.	Expressions «Se présenter»
18.	Revue «Se présenter»
19.	Expressions «Clarifier»

Track	Texte
20.	Revue «Clarifier»
21.	Expressions «Jouer aux jeux»
22.	Revue «Jouer aux jeux»
23.	Expressions «Remonter le moral»
24.	Expressions «S'exclamer»
25.	Revue «S'exclamer»
26.	Expressions «Téléphoner»
27.	Expressions «Donner son avis»
28.	Revue «Donner son avis»
29.	Expressions «poser des questions – Donner des réponses»
30.	Revue «poser des questions – Donner des réponses»
31.	Expressions – Parler fort ou doucement?
32.	Extraits de BD
33.	Extraits du film Zep
34.	Expressions «Combler un blanc»
35.	Adjectifs possessifs

Table des **matières**

In den *activités* A bis D schaut ihr je einen Teil des Spielfilms gemeinsam an. Im Anschluss an die *activités* B und C wählst du aus einem Atelier von je 3 Posten aus. Zudem stehen dir Hintergrundinformationen zum Film zur Verfügung. Mit der Retrospektive denkst du über deine persönlichen Eindrücke nach. Zitate aus dem Film laden dich dazu ein, dir über die Geschichte Gedanken zu machen.

On se fait **un ciné?**

Le film «Les Choristes» est un des plus gros succès du cinéma français. Rien qu'en France, plus de 8.5 millions de personnes l'ont vu au cinéma. Le film raconte la vie dans un internat en France en 1949 et il montre la force magique de la musique.

Synopsis

En 2004, le célèbre chef d'orchestre Pierre Morhange reçoit la visite de son ancien copain de l'internat: Pépinot. Celui-ci apporte le journal intime de leur surveillant Clément Mathieu.
Les deux hommes se souviennent…

Im Jahre 1949 übernimmt der erfolglose Komponist Clément Mathieu eine Stelle als Aufseher im Internat «Fond de l'étang».

Er ist über die harten Strafen entrüstet, mit denen Direktor Rachin Disziplin erwirken will. Obwohl ihn die Schüler nicht schonen, bleibt Monsieur Mathieu verständnisvoll und warmherzig und hat Vertrauen in seine Schützlinge.

Eines Tages gründet Mathieu einen Schülerchor und entdeckt dabei die wundervolle Stimme von Pierre Morhange.

Die Begeisterung für das Singen, der Stolz über den Erfolg und die Kraft der Musik wirken sich auf das Verhalten der Schüler und auf die Atmosphäre im Internat positiv aus.

Aber…

Cerf-volant

Cerf-volant
Volant au vent
Ne t'arrête pas
Vers la mer
Haut dans les airs
Un enfant te voit
Voyage insolent
Troubles enivrants
Amours innocentes
Suivent ta voie
Suivent ta voie
En volant

Cerf-volant
Volant au vent
Ne t'arrête pas
Vers la mer
Haut dans les airs
Un enfant te voit
Et dans la tourmente
Tes ailes triomphantes
N'oublie pas de revenir
Vers moi

Vois sur ton **chemin**

Bruno Coulais - Christophe Barratier

COUPLET 1
Vois sur ton chemin
Gamins oubliés égarés
Donne-leur la main pour les mener
Vers d'autres lendemains
Donne-leur la main pour les mener
Vers d'autres lendemains

REFRAIN
Sens au cœur de la nuit
L'onde d'espoir
Ardeur de la vie
Sentier de gloire
Ardeur de la vie de la vie
Sentier de gloire sentier de gloire

COUPLET 2
Bonheurs enfantins
Trop vite oubliés effacés
Une lumière dorée brille sans fin
Tout au bout du chemin
Trop vite oubliés effacés
Une lumière dorée brille sans fin

REFRAIN

INTERMÈDE

COUPLET 1

REFRAIN (BIS)

Vire au vent tournoie déploie tes ailes
Trouve un chemin vers l'arc-en-ciel

Sur la pierre d'une île immergée
Air éphémère de l'hiver
Loin Enfin ton souffle s'éloigne
dans les montagnes

Au loin ton écho s'éloigne
Châteaux en Espagne

ans l'aube grise du levant
découvrira le printemps
Revenant de terres enneigées
Air éphémère de l'hiver
Caresse sur l'océan
Porte l'oiseau si léger
Caresse sur l'océan
Pose l'oiseau si léger
Calme sur l'océan.

Caresse sur l'océan

3

Bruno Coulais

Caresse sur l'océan
Porte l'oiseau si léger
Revenant de terres enneigées
Air éphémère de l'hiver
Au loin ton écho s'éloigne
Châteaux en Espagne

Vire au vent tournoie déploie tes ailes
Dans l'aube grise du levant
Trouve un chemin vers l'arc-en-ciel
Se découvrira le printemps

Caresse sur l'océan
Pose l'oiseau si léger
Sur la pierre d'une île immergée
Air éphémère de l'hiver
Enfin ton souffle s'éloigne
Loin dans les montagnes

Vire au vent tournoie déploie tes ailes
Dans l'aube grise du levant
Trouve un chemin vers l'arc-en-ciel
Se découvrira le printemps

Calme sur l'océan

Objectifs

Französisch hören, lesen, sprechen, schreiben

Ich kann einen französischen Spielfilm im Grossen und Ganzen verstehen.

Ich kann mich in einfachen Worten zu einzelnen Gesichtspunkten des Films äussern.

Bewusstheit für Sprachen und Kulturen

Ich kenne den französischen Spielfilm «Les Choristes».

Lernstrategien

Ich weiss, dass ich einen Spielfilm besser verstehen kann, wenn ich mir im Voraus einen Überblick über den Inhalt verschaffe.

Das habe ich auch noch gelernt

Les choristes

A

2004, New York – 1949, Fond de l'étang
Du informierst dich über die Personen und über die Geschichte des Films «Les Choristes».

B

L'expérience commence
Du schauscht die Fortsetzung des Films.
› vorher zu bearbeiten: A

ATELIER B1

Langage du corps
Du beobachtest die Körpersprache der Schauspieler und spielst mit Gestik und Mimik.
› vorher zu bearbeiten: A B

ATELIER B2

Script
Du entdeckst das Drehbuch des Films und liest die Dialoge wie eine Schauspielerin oder ein Schauspieler.
› vorher zu bearbeiten: A B

ATELIER B3

Mots-croisés
Du löst Kreuzworträtsel und du erstellst Rätsel für andere.
› vorher zu bearbeiten: A B

D

Le renvoi de Mathieu
Du schaust den letzten Teil des Films an.

R

Rétrospective
Du tauschst deine Eindrücke über den Film mit anderen aus.

ATELIER C3

Une chanson en images
Du stellst einen Liedtext des Films als Bild dar.
› vorher zu bearbeiten: A B C

C

La magie du chant
Du schaust die Fortsetzung des Films und gibst jeder Szene einen Titel.
› vorher zu bearbeiten: A B

ATELIER C2

Script
Du entdeckst das Drehbuch des Films und liest die Dialoge wie eine Schauspielerin oder ein Schauspieler.
› vorher zu bearbeiten: A B C

ATELIER C1

La musique nous parle
Du tauchst in die Filmmusik ein.
› vorher zu bearbeiten: A B C

A

B

ATELIER B1

ATELIER B2

ATELIER B3

C

ATELIER C1

ATELIER C2

ATELIER C3

D

R

GERARD JUGNOT
FRANÇOIS BERLEAND
KAD
JACQUES PERRIN ET ARTHUR COHN PRÉSENTENT
LES CHORISTES
UN FILM DE
CHRISTOPHE BARRATIER
FOND
DE L'ETANG

2004, New York
– 1949, Fond de l'étang

Tu t'informes sur les personnages et sur l'histoire du film «Les Choristes». Tu regardes le début du film.

» Cherchez *choristes bande annonce* sur Internet. Choisissez www.dailymotion.com ou www.cinemovies.fr
Regardez la bande-annonce.

» Regardez les personnages du film.

S'informer auparavant
Sich im Voraus informieren

Verschaffe dir im Voraus einen Überblick über die Personen und die Handlung einer Geschichte, um sie besser zu verstehen.

Surveillant

Le surveillant s'occupe des élèves en dehors des cours. On l'appelle aussi le «pion».

Monsieur Mathieu
Nouveau surveillant

Monsieur Rachin
Directeur

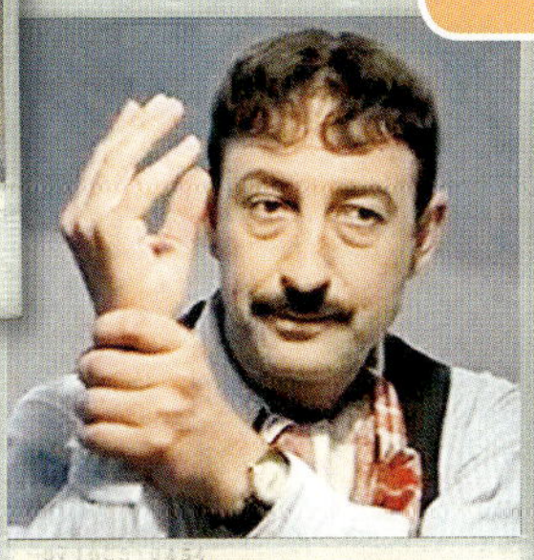
Monsieur Chabert
Professeur de sport

Père Maxence Concierge, gardien, infirmier, magasinier, vitrier

Pépinot
Elève

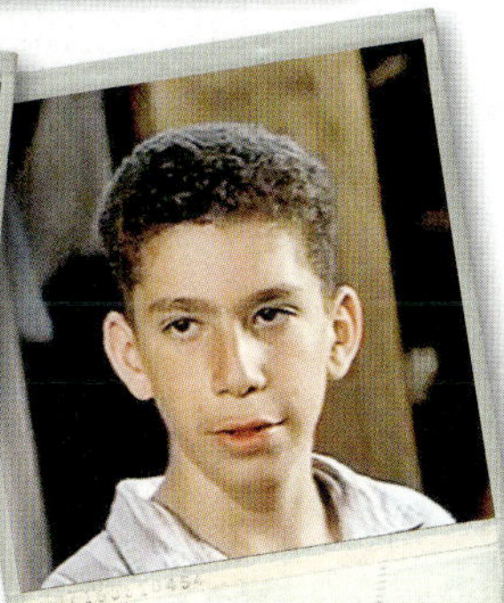
Corbin
Elève

Le Querrec
Elève

Morhange
Elève

Mondain
Elève

» Regardez l'affiche à la page 14. Qu'est-ce que vous voyez?

Où est...?

C'est...?

Sur l'affiche, il y a un/une/des...

Voici Pépinot!

Ici, on voit...

Activité **A**

» Lisez le texte pour mieux comprendre le début du film.

4

Le film commence en 2004. Morhange est un musicien célèbre. Il vit à New York.
Il retourne en France pour l'enterrement de sa mère Violette.
Pépinot, son ancien copain de l'internat, lui rend visite.
Pépinot lui donne le journal intime de leur ancien surveillant Clément Mathieu.
Le journal intime raconte la vie à l'internat – il y a plus de 50 ans.

l'enterrement (m)
die Beerdigung

le journal intime
das Tagebuch

Morhange en 2004

Pépinot en 2004

5

En 1949, Clément Mathieu arrive à l'internat «Fond de l'étang».
Il rencontre Pépinot, le Père Maxence et le directeur Rachin.

Fond de l'étang
Am Grunde des Teichs

Morhange en 1949

Pépinot en 1949

» Regardez les chapitres 1 à 3.

6

» Echangez vos impressions sur les personnages.

A mon avis, Mathieu est...

Je trouve que Rachin est plutôt...

sympa	
arrogant	
autoritaire	
calme	ruhig
malheureux	unglücklich
perdu	verloren
étrange	
timide	schüchtern
sensible	
dur	hart
sévère	streng
heureux	glücklich
...	

Je pense que Pépinot est...

A mon avis, le Père Maxence est...

L'expérience commence

Tu regardes la suite du film.

Vous souvenez-vous du début du film?

» Regardez les images et lisez les textes.
» Numérotez-les dans l'ordre chronologique. Discutez.

☐ 

Mathieu fait la connaissance du directeur Rachin.

☐ 

Le directeur Rachin siffle pour le rassemblement.

☐ 

Le Père Maxence a un accident.

☐ 

Pépinot attend à l'entrée.

☐ 

Mathieu arrive à l'internat.

☐ 

Le Père Maxence montre l'internat à Mathieu.

D'abord...

Puis...

Finalement...

Ensuite...

Plus tard...

Activité **B**

le coupable	der Schuldige
une punition collective	eine Kollektivstrafe
dénoncer	verraten
le métier	der Beruf
lever la punition	die Strafe aufheben
volé	gestohlen
l'autorisation (f)	die Erlaubnis

Qu'est-ce qui va se passer par la suite?

» Regardez les images et lisez les textes.

Rachin ne trouve pas le coupable de l'accident du Père Maxence. Il donne une punition collective aux élèves.

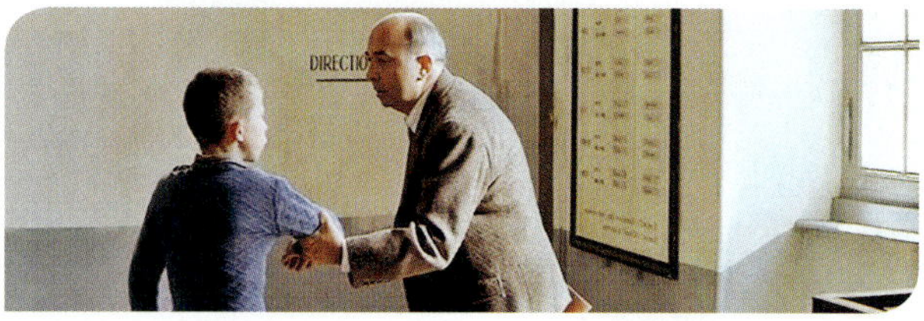
Mathieu connaît le coupable mais il ne le dénonce pas.

Grâce à Mathieu, Rachin lève la punition.

Des élèves inventent une chanson sur Mathieu.

L'expérience de la chorale commence.

Mathieu est devant la classe pour la première fois.

Les élèves notent le métier qu'ils aimeraient faire plus tard.

Quelqu'un a volé les affaires de Mathieu.

Violette veut rendre visite à son fils Pierre.

Mathieu demande l'autorisation pour la chorale.

» Regardez les chapitres 4 à 11.
» Racontez ce qui s'est passé.
Les images et les textes peuvent vous aider.

Avez-vous bien compris l'histoire?
» Clarifiez vos questions à deux et ensuite en classe.

Les métiers de rêve des élèves

- pompier
- cowboy
- dresseur de tigre
- pilote de guerre
- espion
- général de Napoléon
- pilote de montgolfière
- légionnaire

Atelier B

Il y a trois postes à choix aux pages 20 à 27. A vous de choisir!

B1 | Langage du corps | Körpersprache

Tu observes le langage du corps des acteurs. Tu joues avec la gestuelle et la mimique.

B2 | Script | Drehbuch

Tu découvres le script du film et tu lis les dialogues comme une actrice ou un acteur.

```
A   EXT. PORTAIL - JOUR

Mathieu arrive à l'internat. Pépinot attend à la grille.

MATHIEU       Bonjour! T'es tout seul? Qu'est-ce que
              tu fais là?

PEPINOT       (à voix basse)
              J'attends samedi.

MATHIEU       Pourquoi?
```

B3 | Mots-croisés | Kreuzworträtsel

Tu remplis des mots-croisés. Tu crées des mots-croisés pour d'autres.

1				C								
				H								
2				O								
3				R								
4				I								
				S								
5				T								
6				E								
7				S								

Langage du corps

Tu observes le langage du corps des acteurs.
Tu joues avec la gestuelle et la mimique.

» Observez les gestes et les mimiques des personnages. Qu'est-ce que le langage du corps exprime? Discutez.

» Lisez les interprétations à la page 21. Est-ce que vous êtes d'accord?

» Jouez au jeu.
  » Mettez-vous avec un autre groupe.
  » Lisez les règles du jeu.
  » Jouez au jeu.

06:00–06:20

07:55–08:35

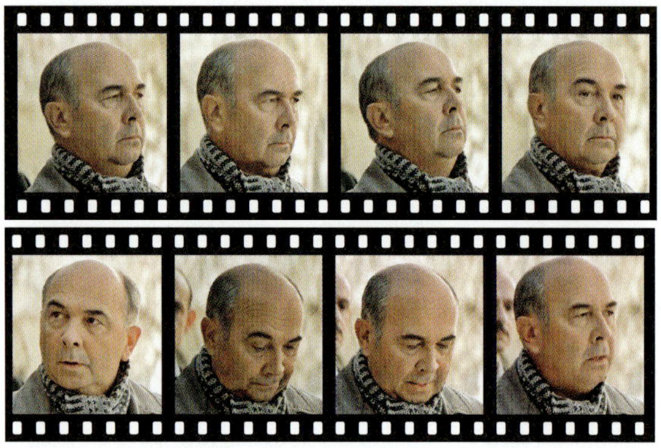

08:38–09:04

7

Je pense que Mathieu se sent...

intimidé	eingeschüchtert
stressé	nervös
effrayé	erschrocken
joyeux	fröhlich
impatient	ungeduldig
sévère	streng
maladroit	ungeschickt
triste	traurig
fâché	zornig, wütend
méfiant	misstrauisch
content	zufrieden
mal à l'aise	nicht wohl
sûr de lui	selbstsicher
peu sûr de lui	wenig selbstsicher
choqué	schockiert

Peut-être que Rachin est...

Voici des interprétations possibles:

Rachin steht oben, weil er der mächtige Direktor ist. Mathieu steht unten, weil er ihm untergeordnet ist. Rachin bleibt unbeweglich stehen, während Mathieu die Treppe zu ihm hochgehen muss.

Mathieu wechselt andauernd die Position seiner Arme. Dies zeigt, dass er sich nicht wohl fühlt und unsicher und nervös ist.
Er ist fassungslos, dass Rachin ihn bestimmt, einen Schuldigen zu nennen.

Mathieu schaut die Schüler streng an. Ein Zwischenruf und die Aufgabe, einen Schuldigen zu bestimmen, machen ihn ratlos und unsicher. Zum Schluss bemüht er sich, wieder selbstsicher zu wirken.

Règles du jeu:

- Découpez les cartes. Mélangez-les et faites une pile.
- **A** pioche une carte. **A** représente le sentiment noté avec le langage du corps.
- **B**, **C** et **D** devinent le sentiment qu'il représente.
  - faux: **B**, **C** et **D** continuent de deviner.
  - juste: **B** pioche une carte…

J'ai trouvé: tu es…

Non, je pense que tu es…

Ah je sais: tu es…!

intimidé/-e	stressé/-e	effrayé/-e
joyeux/-se	impatient/-e	sévère
maladroit/-e	triste	fâché/-e
méfiant/-e	content/-e	mal à l'aise
sûr/-e de toi	peu sûr/-e de toi	choqué/-e

Script

Tu découvres le script du film et tu lis les dialogues comme une actrice ou un acteur.

» Découvrez la présentation d'un script.

» Choisissez un dialogue.
- » Lisez et écoutez le dialogue et vérifiez si vous comprenez la même chose.
- » Répartissez les rôles et marquez votre texte.
- » Apprenez à lire les textes avec le CD.
- » Jouez les dialogues devant un autre groupe.
- » Choisissez un autre dialogue.

Voici les éléments d'un script:

```
A   EXT. PORTAIL – JOUR

Mathieu arrive à l'internat. Pépinot attend à la grille.

MATHIEU         Bonjour! T'es tout seul? Qu'es
                tu fais là?

                (à voix basse)
                J'attends samedi.

MATHIEU         Pourquoi?
```

Où? Quand? Titre de scène

Quoi? Didascalie

Dialogue

Qui? Personnage

Comment? Indication

A Mathieu arrive à l'internat.

B Mathieu fait chanter Corbin.

C Mathieu découvre que les élèves chantent.

A l'écrit	A l'oral
Tu es…	T'es…
Ce n'est pas…	C'est pas…
Monsieur	M'sieur

8

A EXT. PORTAIL - JOUR

Mathieu arrive à l'internat. Pépinot attend à la grille.

MATHIEU Bonjour! T'es tout seul? Qu'est-ce que tu fais là?

PEPINOT (à voix basse)
J'attends samedi.

MATHIEU Pourquoi?

PEPINOT Mon Papa va venir me chercher.

MATHIEU Oui, mais on n'est pas samedi aujourd'hui.

9

B INT. SALLE DE CLASSE - MATIN

Mathieu auditionne les élèves pour la chorale.

MATHIEU Fais-moi voir, Corbin.
(chante)
Do mi sol doooo!

CORBIN (chante faux)
Doo.

MATHIEU (chante)
Dooo! Doo doo dooo!

CORBIN (chante faux)
Dooo.

MATHIEU Ah non, ça je suis désolé, ça n'existe pas cette note…
(le fait avancer)
Bon, viens un peu là.
(à Pépinot)
Monsieur Pépinot, donnez-moi la partition.
(prend la partition, à Pépinot)
Merci beaucoup.
(à Corbin)
Ouvre tes mains…
(place les mains)
bien, présente-les comme ça.
Voilà, je te nomme pupitre.

auditionner vorsingen lassen
la partition die Partitur, die (Musik-) Noten
le pupitre das Notenpult

C INT. CHAMBRE - NUIT

10

Mathieu traverse le dortoir. Tous arrêtent de chanter, sauf Corbin.

CORBIN (chante seul)
Ici c'est pas toi qui feras la loi.
(aux autres)
Alors les mecs, vous vous dégonflez?

MATHIEU Toi, c'est Corbin, non?

CORBIN Oui, Monsieur, mais je fais rien.

MATHIEU Si, tu chantes!

CORBIN Non, M'sieur, je vous jure.

MATHIEU (fort)
Tu chantes! Et tu chantes faux en plus.
(moins fort)
Tu ne t'en rends même pas compte.
Allez, recommence, je t'écoute.
Tu veux peut-être aller chanter
chez le directeur? Allez:
(chante)
Crâne d'obus, d'obus t'es foutu.

CORBIN (chante faux)
Crâne d'obus, d'obus t'es foutu.

MATHIEU (chante)
Ici c'est pas toi qui feras la loi.

CORBIN (chante faux)
Ici c'est pas toi qui feras la loi.

MATHIEU On t'a jamais dit que tu chantais comme une gamelle.

LECLERC Euh Monsieur, c'est vrai que c'est de la musique que vous avez dans votre cartable?

MATHIEU Mêlez-vous de vos affaires. D'ailleurs à ce propos:
(sévère)
le prochain que je prendrai à fouiller dans mes affaires, ça lui coûtera cher. Alors maintenant silence. On dort, au lit, hop, terminé.

Ici c'est pas toi qui feras la loi.
Hier hast du nichts zu bestimmen.

vous vous dégonflez
macht ihr schlapp

je vous jure
ich schwör's

Tu ne t'en rends même pas compte.
Du merkst es nicht einmal.

crâne d'obus
Eierkopf, Granatenschädel

t'es foutu
du machst es nicht mehr lange

chanter comme une gamelle
falsch singen

fouiller dans mes affaires
in meinen Sachen stöbern

ça lui coûtera cher
das wird ihn teuer zu stehen kommen

Mots-croisés

Tu remplis des mots-croisés.
Tu crées des mots-croisés pour d'autres.

» Remplis les grilles.

» Crée des mots-croisés à la page 27 ou sur Internet (www.xwords-generator.de).

» Donne tes mots-croisés à quelqu'un d'autre.

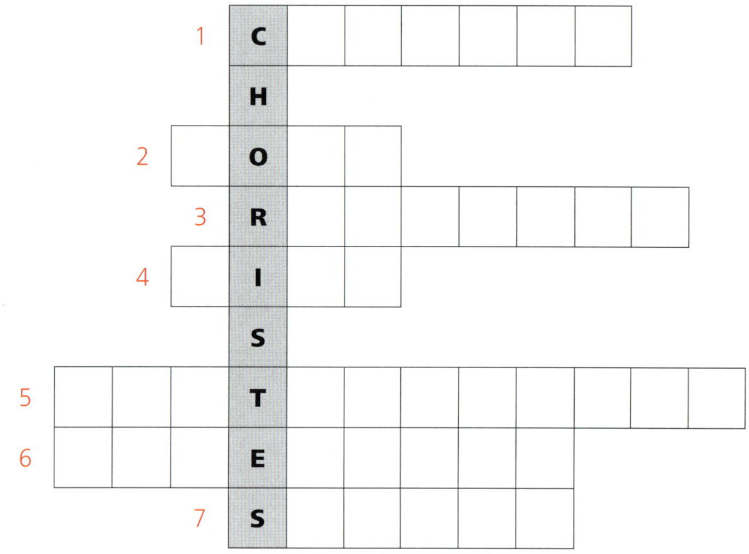

1. Mathieu veut faire une…
2. L'internat s'appelle «… de l'étang».
3. A l'internat, il y a le principe «Action–…».
4. On appelle un surveillant aussi un…
5. Le métier de rêve d'un élève est «pilote de…».
6. Rachin est le… de l'école.
7. Pépinot attend son père le…

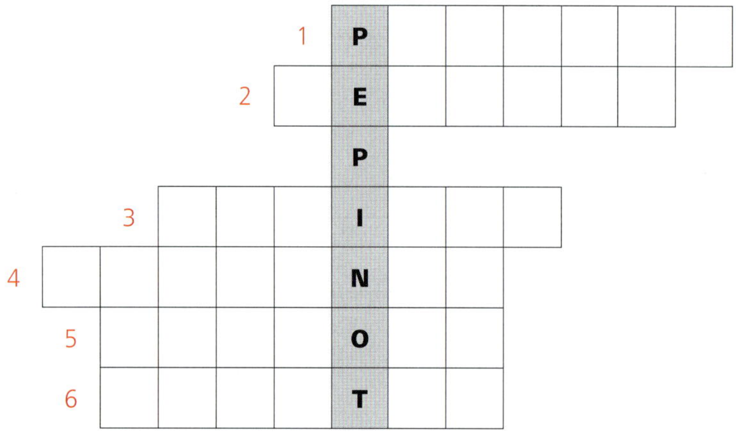

1. En 2004, Morhange rencontre…, son ancien copain de l'internat.
2. Mathieu connaît le coupable de l'accident de Maxence, mais il ne le… pas.
3. Mathieu aime la…
4. L'histoire se passe en mille-neuf-cent-…-neuf.
5. A l'internat, il n'y a pas de filles, il y a seulement des…
6. Corbin ne sait pas chanter. Mathieu le nomme… (Notenpult).

SOLUTIONS
1 CHORALE | 2 FOND | 3 REACTION | 4 PION | 5 MONTGOLFIERE | 6 DIRECTEUR | 7 SAMEDI
1 PEPINOT | 2 DENONCE | 3 MUSIQUE | 4 QUARANTE | 5 GARÇONS | 6 PUPITRE

Autour du film

11–20

Après la sortie du film «Les Choristes», beaucoup d'enfants et d'adolescents français commencent à chanter dans une chorale.

Après le tournage, beaucoup de garçons qui ont joué dans le film commencent à chanter dans une chorale.

Pendant le tournage, il fait si chaud que Berléand (Rachin) joue parfois en slip. Cela fait rire toute l'équipe et ils ont du mal à tourner les scènes sérieuses.

Jean-Baptiste Maunier (Pierre Morhange) se casse le pied la veille du tournage de cette scène. C'est pour cela qu'il se tient dans cette position.

Au début, les garçons qui jouent dans le film ne se connaissent pas. Après le tournage, beaucoup d'entre eux restent amis.

«Les Petits Chanteurs de Saint-Marc» chantent les chansons du film. Cette chorale d'un Collège à Lyon – aujourd'hui connue dans toute l'Europe – donne des concerts.

Le film «Les Choristes» est tourné en 2004. Le lieu principal de tournage est le Château Ravel dans le Département du Puy-de-Dôme, près de Clermont-Ferrand.

Les gifles de Rachin ne sont pas réelles. C'est surtout les bruitages et le jeu des acteur qui donnent cette impressio

Pour trouver les jeunes acteurs, plus de 3000 castings ont lieu. Finalement, beaucoup d'enfants de la région d'Auvergne obtiennent un rôle.

La couleur des yeux de Pierre Morhange change! Jean-Baptiste Maunier – qui joue Morhange en 1949 – a les yeux bleus alors que Jacques Perrin – qui joue Morhange en 2004 – a les yeux bruns.

Le tournage a lieu en juillet et en août. Parfois, il fait plus de 40°. Les caméramans et les techniciens sont en short et en t-shirt. La neige est artificielle, les feuilles des plantes sont arrachées pour créer une ambiance hivernale.

Christophe Barratier est le réalisateur du film. Il compose aussi les deux thèmes de musique «Cerf-volant» et «Nous sommes de fond de l'étang».

21–30

Le directeur conduit une traction.

Comme dans beaucoup de films, il y a des erreurs. Lors d'une visite de la mère de Pierre, un homme coupe sa tarte toujours au même endroit.

Christina Aguilera reprend en partie l'air de piano de la chanson «Vois sur ton chemin» dans sa chanson «Oh Mother» de l'album «Back to Basics».

Tu trouves cette chanson sur Youtube.

La participation au film est pour Jean-Baptiste Maunier le début d'une carrière de comédien et de chanteur.

Comme dans beaucoup de films, il y a des erreurs.
Lors du départ en bus, on voit d'abord un panneau à l'arrière qui indique que la vitesse maximale autorisée du bus est de 85 km/h. 10 secondes après, on voit le même bus partir sans panneau.

Le film «Les Choristes» est une production franco-suisse. Un des producteurs est le Bâlois Arthur Cohn.

Le château ne brûle pas réellement. L'arrière-fond n'est qu'une toile.

En 2005, le film «Les Choristes» est nominé pour l'Oscar du meilleur film en langue étrangère et il remporte beaucoup de prix.

Activité **C**

La magie du chant

Tu regardes la suite du film. Tu donnes un titre à chaque scène.

» Regardez les images de la page 18 pour vous rappeler ce qui s'est passé.
» Regardez les images et lisez les textes.

A
Mondain, un nouvel élève, vient à l'internat.

B
Morhange et Mondain se disputent.

C
Pierre s'absente pour voir sa mère de loin.

D
Mondain et Corbin ne respectent pas les règles.

E
La chorale chante. Pierre a une belle voix.

F
C'est le jour des visites. Violette vient voir son fils.

G
Mathieu compose des chansons pour la chorale.

H
Mondain disparaît et 200 000 francs sont volés.

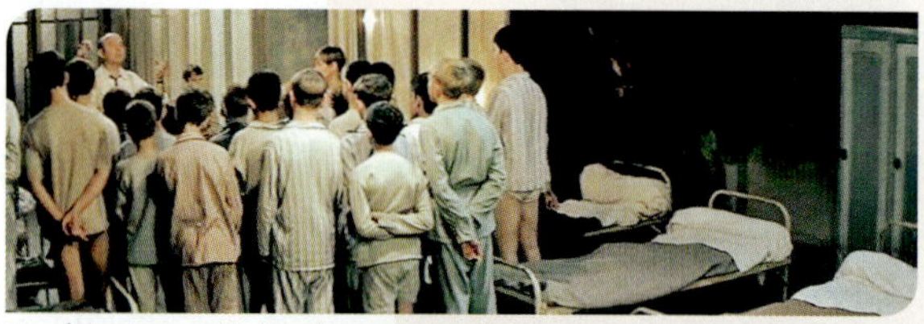

I
Rachin interdit la chorale mais…

J
Les gendarmes emmènent Mondain.

K
C'est de nouveau le jour des visites.

une belle voix	eine schöne Stimme	interdire	verbieten
disparaître	verschwinden	emmener	abführen
volés	gestohlen		

» Regardez les chapitres 12 à 17.

Avez-vous bien compris l'histoire?
» Clarifiez vos questions à deux et ensuite en classe.

» Choisissez des titres pour les scènes. Notez la lettre de la scène à côté du titre.

Un bon titre pour la scène... c'est: «...»

Pour moi, la scène... s'appelle plutôt: «...»

Ce titre me fait penser à la scène...

Moi aussi.

Moi, je pense plutôt à la scène...

L'arrivée de Mondain

Un élève difficile

La rencontre au grenier

Violette la serveuse

Avoir mal au cœur

Le repas nocturne

La magie du chant

Les répétitions de chant

Le jour des visites

La visite de Violette

Mathieu le compositeur

L'argent volé

De nouvelles chansons

Les gifles du directeur

La disparition de Mondain

La chorale clandestine

Chanter en pyjama

La force de la musique

La fascination de Mathieu

La gendarmerie

31

au grenier	auf dem Dachboden
avoir mal au cœur	Kummer haben
le repas	die Mahlzeit
nocturne	nächtlich
l'argent (m)	das Geld
volé/-e	gestohlen
la disparition	das Verschwinden
clandestin/-e	heimlich, illegal
la force	die Kraft
la gifle	die Ohrfeige

Activité C

32–33

» Lis et écoute les expressions.

Je trouve que… est…	Ich finde, dass … … ist.
Peut-être que… est…	Vielleicht ist … …
A mon avis… est…	Meiner Meinung nach ist … …
sympa	sympathisch
arrogant / arrogante	arrogant
malheureux / malheureuse	unglücklich
timide	schüchtern
sensible	sensibel
sévère	streng
stressé / stressée	nervös
effrayé / effrayée	erschrocken
joyeux / joyeuse	fröhlich
impatient / impatiente	ungeduldig
maladroit / maladroite	ungeschickt
fâché / fâchée	zornig, wütend
content / contente	zufrieden
sûr de lui / sûre d'elle	selbstsicher
Je pense que… se sent…	Ich denke, dass … sich … fühlt.
triste	traurig
mal à l'aise	nicht wohl
heureux / heureuse	glücklich

arrogant
arrogant

sévère
severe

impatient
impatient

» Choisis d'autres expressions pour ton vocabulaire personnel. Note-les dans la revue.

Atelier C

Il y a trois postes à choix aux pages 34 à 41. A vous de choisir!

C1 | La musique nous parle

Tu te laisses emporter par la musique du film.

C2 | Script | Drehbuch

Tu découvres le script du film et tu lis les dialogues comme une actrice ou un acteur.

A INT. EN BAS DES ESCALIERS - NUIT

Pépinot est assis. Mathieu arrive.

MATHIEU (étonné)
Ben, qu'est-ce que tu fais là, toi?
(avance vers lui)
Hein?

PEPINOT (à voix basse)
J'ai pas le droit de monter.

MATHIEU Comment ça, t'as pas le droit? Et pourquoi ça?

C3 | Une chanson en images

Tu représentes les paroles d'une chanson du film en images.

La musique nous parle

Dans les films, la musique joue un rôle important. Elle crée l'ambiance d'une scène, annonce un nouvel événement ou exprime les émotions des personnages.

Tu te laisses emporter par la musique du film.

» Lisez les titres des musiques et les explications. Est-ce que vous vous souvenez des scènes du film?

» Ecoutez les musiques A à D. Associez-les aux titres.

» Regardez les expressions «Emotions». Qu'est-ce que les musiques expriment?
Notez 1 à 3 expressions à côté de chaque note.

34–37

L'arrivée à l'école
Clément Mathieu arrive à l'internat «Fond de l'étang».

A ♪

Pépinot
Le petit garçon attend son papa qui vient le chercher samedi. Mais ses parents sont morts.

B ♪

Sous la pluie
Pierre Morhange observe de loin sa maman qui travaille dans un restaurant.

C ♪

Action–réaction
A l'internat il y a le principe «action–réaction»: quand on fait une bêtise, on est tout de suite puni.

D ♪

Pour moi, cette musique exprime…

Pour moi, elle exprime aussi…

38

Emotions

la tristesse	die Traurigkeit	la nostalgie	die Sehnsucht
la tranquillité	die Ruhe	la menace	die Bedrohung
le danger	die Gefahr	le suspense	die Spannung
la solitude	die Einsamkeit	le bonheur	das Glück
la joie	die Freude	l'enthousiasme (m)	die Begeisterung, der Enthusiasmus

Les mélodies des chansons accompagnent différentes scènes du film.

» Choisissez une chanson aux pages 5 à 10. Ecoutez-la.

» Pour quelles scènes choisissez-vous cette chanson? Pourquoi? Marquez-les.

» Continuez avec une autre chanson.

Remarque
Soyez attentifs à la musique en regardant la suite du film.

Vois sur ton chemin

1–3

Cerf-volant

Caresse sur l'océan

Titres des scènes

L'arrivée de Mondain
Un élève difficile
La rencontre au grenier
Avoir mal au cœur
Violette la serveuse
Le repas nocturne
La magie du chant
Les répétitions de chant
Le jour des visites
La visite de Violette
Mathieu le compositeur
De nouvelles chansons
L'argent volé
La disparition de Mondain
La chorale clandestine
Chanter en pyjama
La force de la musique
La gendarmerie
Les gifles du directeur
La fascination de Mathieu

Cette chanson va bien avec «…»

Cette chanson peut accompagner «…»

Cette chanson crée une bonne ambiance pour «…»

Solutions
A: Sous la pluie | B: L'arrivée à l'école | C: Action – réaction | D: Pépinot

Script

Tu découvres le script du film et tu lis les dialogues comme une actrice ou un acteur.

- Découvrez la présentation d'un script.
- Choisissez un dialogue.
  - Lisez et écoutez le dialogue et vérifiez si vous comprenez la même chose.
  - Répartissez les rôles et marquez votre texte.
  - Apprenez à lire les textes avec le CD.
  - Jouez les dialogues devant un autre groupe.
  - Choisissez un autre dialogue.

Voici les éléments d'un script:

```
A   INT. EN BAS DES ESCALIERS - NUIT

Pépinot est assis. Mathieu arrive.

MATHIEU       (étonné)
              Ben, qu'est-ce que tu fais là, toi?
              (avance vers lui)
              Hein?

PEPINOT       (à voix b.
              J'ai pas le droit de monter.
```

Où? Quand? Titre de scène

Quoi? Didascalie

Qui? Personnage

Dialogue

Comment? Indication

A Pépinot n'a pas le droit de monter.

B Chabert emmène Mondain au cachot.

C Monsieur Langlois chante.

A l'écrit	**A l'oral**
Je n'ai pas le droit…	J'ai pas le droit…
Tu as…	T'as…

A INT. EN BAS DES ESCALIERS - NUIT

39

Pépinot est assis. Mathieu arrive.

MATHIEU (étonné)
Ben, qu'est-ce que tu fais là, toi?
(avance vers lui)
Hein?

PEPINOT (à voix basse)
J'ai pas le droit de monter.

MATHIEU Comment ça, t'as pas le droit? Et pourquoi ça?

PEPINOT J'ai pas de sous.

MATHIEU T'as pas de sous pour aller dormir? Qu'est-ce que c'est que cette histoire?

PEPINOT C'est Mondain! Il me laisse pas monter si je lui donne pas dix sous.

MATHIEU (s'en va, outré)

j'ai pas le droit
ich darf nicht

les sous (m)
das Geld

outré
empört

B EXT. COUR - APRES-MIDI

40

Chabert emmène Mondain au cachot. Mathieu est dans sa salle de classe.

CHABERT (à Mondain, en le poussant)
Avance! Allez, petit merdeux.
Allez, fonce.

MATHIEU (à Chabert, de la fenêtre)
Qu'est-ce qu'il a fait?

CHABERT (à Mathieu, s'arrête en maîtrisant Mondain)
Il m'a volé ma montre. C'est dans ma chambre que je l'ai surpris. Alors je suis passé voir Rachin: action - réaction!

MATHIEU Et vous l'emmenez où?

emmener
abführen

le cachot
der Kerker

CHABERT (à Mathieu)
Au cachot, quinze jours.
(à Mondain, en avançant)
Allez!

MATHIEU Attendez!

CHABERT (entre dans le bâtiment et disparaît)
Attendre quoi?

MATHIEU (à voix basse, dépité)
C'est mon seul baryton.

dépité/-e
bitter enttäuscht

le baryton
Bariton, tiefe Singstimmlage

41

C INT. SALLE DE CLASSE - MATIN

Mathieu finit la répétition. Langlois arrive dans la salle.

MATHIEU (aux élèves en rangeant les partitions, d'un air sérieux)
Bon, prenez vos cahiers de calcul.

LANGLOIS (à Mathieu)
Comment, mais, c'est vous qui faites chanter les enfants?

MATHIEU Euh oui, Monsieur. C'est un reproche?

LANGLOIS (soudain heureux)
Oh, pas du tout! Au contraire, j'adore la musique. Il m'arrive parfois moi-même de pousser la chansonnette.

MATHIEU (surpris)
Ah bon.

LANGLOIS (chantonne)
Qu'est-ce qu'on attend pour être heureux?
Qu'est-ce qu'on attend pour faire la fête?
La la la la la, la la la la la, la la la la la…

MATHIEU (joyeux)
Bonne journée!

LANGLOIS (à Mathieu)
A vous aussi, cher collègue!
(aux élèves, sérieux)
Arithmétique, page 27.

les cahiers de calcul (m)
die Rechenhefte

un reproche
ein Vorwurf

pousser la chansonnette
ein Liedchen trällern

Une chanson en images

Tu représentes les paroles d'une chanson du film en images.

» Regardez la représentation de la chanson «Caresse sur l'océan» aux pages 8 et 9.
- » Ecoutez la chanson.
- » Cherchez la représentation de quelques paroles aux pages 8 et 9.

» Ecoutez la chanson «Cerf-volant».
- » Réécoutez-la et lisez les paroles. Marquez les mots importants.
- » Représentez les paroles de la chanson aux pages 40 et 41.

Caresse sur l'océan

le vent
der Wind

l'arc-en-ciel
der Regenbogen

le printemps

une île immergée
eine überflutete Insel

les ailes
die Flügel

l'aube grise
das Morgengrauen

l'océan

les Châteaux en Espagne
die Luftschlösser

l'oiseau

les montagnes
die Berge

l'hiver

1

Cerf-volant

Cerf-volant
Volant au vent
Ne t'arrête pas
Vers la mer
Haut dans les airs
Un enfant te voit
Voyage insolent
Troubles enivrants
Amours innocentes
Suivent ta voie
Suivent ta voie
En volant

Cerf-volant
Volant au vent
Ne t'arrête pas
Vers la mer
Haut dans les airs
Un enfant te voit
Et dans la tourmente
Tes ailes triomphantes
N'oublie pas de revenir
Vers moi

le cerf-volant	der Drachen
volant au vent	im Wind fliegend
haut dans les airs	hoch in den Lüften
le voyage	die Reise
ta voie	dein Weg
innocent/-e	unschuldig
la tourmente	der Sturm
tes ailes (f)	deine Flügel

Cerf-volant

Cerf-volant
Volant au vent
Ne t'arrête pas
Vers la mer
Haut dans les airs
Un enfant te voit
Voyage insolent
Troubles enivrants
Amours innocentes
Suivent ta voie
Suivent ta voie
En volant

Cerf-volant
Volant au vent
Ne t'arrête pas
Vers la mer
Haut dans les airs
Un enfant te voit
Et dans la tourmente
Tes ailes triomphantes
N'oublie pas de revenir
Vers moi

Activité **D**

Le renvoi **de Mathieu**

Tu regardes la dernière partie du film.

» Regardez les images de la page 30 pour vous rappeler ce qui s'est passé.
» Regardez les images et lisez les textes.

Mathieu propose à Violette d'inscrire Pierre au conservatoire de musique.

Rachin lève l'interdiction de la chorale pour la visite de la comtesse.

Violette est amoureuse. De qui?

La chorale donne un concert pour la comtesse.

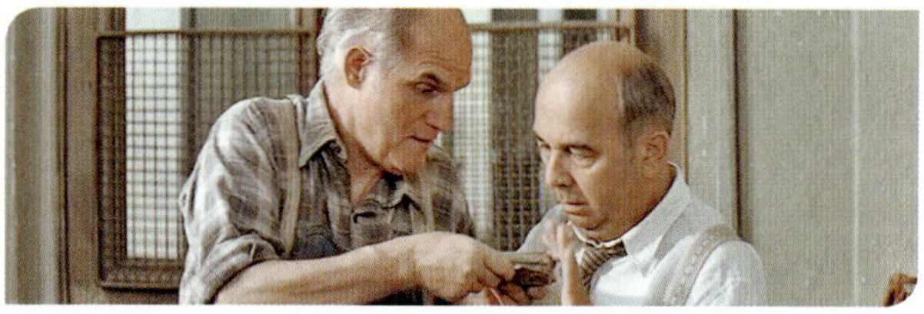
Le Père Maxence retrouve les 200 000 francs.
Qui a volé l'argent?

L'internat prend feu. 60 gamins disparus…

Rachin renvoie Mathieu.

Les élèves disent au revoir.

Mathieu et Pépinot…

» Regardez les chapitres 18 à 23.

Avez-vous bien compris l'histoire?
» Clarifiez vos questions à deux et ensuite en classe.

» Regardez encore une fois le début du film (chapitres 1 et 2).

lever l'interdiction (f)	das Verbot aufheben
amoureux/-se	verliebt
volé	gestohlen
l'argent (m)	das Geld
des gamins (m)	Kinder
disparu/-e	verschwunden
renvoyer	entlassen

Les **adieux**

Au crane
revoir d'obu
il fau revenir faire
les note
avec
nous
Au revoir
monsieur
Mathieu
FOND DE L'ETANG
INTERNAT

Citations du film

Replonge dans le film avec des phrases de Pépinot, Mathieu, Rachin...

42

«J'attends samedi. [...] Mon papa va venir me chercher.» (Pépinot)

Ich warte auf Samstag. Mein Papa wird mich abholen.

«Ils sont comment, les gamins exactement?» (Clément Mathieu)

Wie sind diese Kinder eigentlich?

«Au moins, il mangera chaud midi et soir.» (Violette Morhange)

Er wird zumindest mittags und abends warm essen.

«Morhange. Tête d'ange et le diable au corps.» (Ancien surveillant)

Morhange. Ein Engelsgesicht und den Teufel im Körper.

«Action – réaction.» (Directeur Rachin)

«Mais vos manières m'agacent.» (Directeur Rachin)

Aber Ihr Getue geht mir auf die Nerven.

**«J'obtins 2 pompiers, 3 cow-boys, 1 dresseur de tigre,
1 pilote de guerre, 2 espions, 1 général de Napoléon,
1 pilote de montgolfière, 3 légionnaires.
Mais pas un seul pion.»** (Clément Mathieu)

«C'est gentil d'avoir été volontaire pour me soigner.» (Père Maxence)

Es ist lieb von dir, dass du dich freiwillig gemeldet hast, um mich zu pflegen.

**«Ne jamais dire jamais.
Il y a toujours quelque chose à tenter.»** (Clément Mathieu)

Sag niemals nie. Es ist immer einen Versuch wert.

«Ces enfants m'inspirent.» (Clément Mathieu)

Diese Kinder inspirieren mich.

«Sa voix est un miracle.» (Clément Mathieu)

Seine Stimme ist ein Wunder.

«Et mon solo?» (Pierre Morhange)

«Je n'ai pas le droit de monter.» (Pépinot)

Ich darf nicht hinaufgehen.

**«Si Mondain n'est pas le coupable aujourd'hui,
il l'aurait été une autre fois.»** (Directeur Rachin)

Wenn Mondain nicht heute schuldig ist, dann wird er es ein nächstes Mal sein.

**«Enfin, vous remarquerez, Monsieur le directeur,
que la musique ne dessert pas la discipline.»** (Clément Mathieu)

Sie werden bemerkt haben, Herr Direktor, die Musik erweist der Disziplin keinen schlechten Dienst.

«Allez au diable!» (Directeur Rachin)
«Je le quitte au contraire.» (Clément Mathieu)

Scheren Sie sich zum Teufel!
Im Gegenteil, ich verlasse ihn gerade.

**«Pépinot avait raison d'y croire:
le jour du renvoi de Mathieu, c'était un samedi.»** (Narrateur)

Pépinot hatte zu Recht daran geglaubt: Der Tag, an dem Mathieu entlassen wurde, war ein Samstag.

Rétrospective

Tu échanges tes impressions sur le film avec d'autres.

» Note quelques impressions.

Cela m'a touché/-e:

En allemand, le film pourrait s'appeler:

Je recommande le film à:

Cela m'a choqué/-e:

J'aimerais jouer ce rôle:

Je donne 1, 2, 3 ou 4 étoiles au film:

★ ★★ ★★★ ★★★★

touché/-e	berührt
recommander	empfehlen
déçu/-e	enttäuscht
des sentiments (m)	Gefühle

Je trouve que c'est l'information la plus intéressante des pages 28 et 29:

Cela m'a fait rire:

J'aimerais savoir de…

ce qu'il fait plus tard.

Cela m'a déçu/-e:

A la maison, j'écoute cette musique parce qu'elle m'inspire des sentiments:

» Echangez vos impressions.

L'Auvergne

Le film «Les Choristes» a été tourné en Auvergne. La plupart des acteurs viennent de cette région située au centre de la France.

Une grande partie de l'Auvergne est recouverte de volcans – aujourd'hui inactifs – qui attirent les touristes.

Le Château de Ravel, qui date du 12e siècle, a servi de décor à l'internat «Fond de l'étang». Ravel est un petit village en Auvergne.

Clermont-Ferrand est la plus grande ville de l'Auvergne avec 140 000 habitants.

Audiotracks

Track	Texte
1.	Cerf-volant (Chanson)
2.	Vois sur ton chemin (Chanson)
3.	Caresse sur l'océan (Chanson)
4.	2004, New York
5.	1949, Fond de l'étang
6.	Adjectifs (A)
7.	Adjectifs (B1)
8.	Script A (B2)
9.	Script B (B2)
10.	Script C (B2)
11.	Autour du film 1
12.	Autour du film 2
13.	Autour du film 3
14.	Autour du film 4
15.	Autour du film 5
16.	Autour du film 6
17.	Autour du film 7
18.	Autour du film 8
19.	Autour du film 9
20.	Autour du film 10
21.	Autour du film 11

Track	Texte
22.	Autour du film 12
23.	Autour du film 13
24.	Autour du film 14
25.	Autour du film 15
26.	Autour du film 16
27.	Autour du film 17
28.	Autour du film 18
29.	Autour du film 19
30.	Autour du film 20
31.	Titres de scènes
32.	Fichier
33.	Expressions français-anglais
34.	Musique A
35.	Musique B
36.	Musique C
37.	Musique D
38.	Emotions
39.	Script A (C2)
40.	Script B (C2)
41.	Script C (C2)
42.	Citations